勘破西游

典藏版

第三部 降妖如戏

叶之秋 著

中国发展出版社
CHINA DEVELOPMENT PRESS

图书在版编目（CIP）数据

勘破西游．第三部／叶之秋著．—北京：中国发展出版社，2022.1（2025.4 重印）

ISBN 978-7-5177-1264-0

Ⅰ．①勘…　Ⅱ．①叶…　Ⅲ．①《西游记》研究　Ⅳ．①I207.414

中国版本图书馆 CIP 数据核字（2021）第 230735 号

书　　名：勘破西游（第三部）
著作责任者：叶之秋
责 任 编 辑：钟紫君　吴　思
出 版 发 行：中国发展出版社
联 系 地 址：北京经济技术开发区荣华中路 22 号亦城财富中心 1 号楼 8 层（100176）
标 准 书 号：ISBN 978-7-5177-1264-0
经　销　者：各地新华书店
印　刷　者：北京博海升彩色印刷有限公司
开　　本：880mm×1230mm　1/32
印　　张：9.5
字　　数：210 千字
版　　次：2022 年 1 月第 1 版
印　　次：2025 年 4 月第 3 次印刷
定　　价：29.80 元

联 系 电 话：（010）68990535　68360970
购 书 热 线：（010）68990682　68990686
网 络 订 购：http：//zgfzcbs.tmall.com
网 购 电 话：（010）68990639　88333349
本 社 网 址：http：//www.develpress.com
电 子 邮 件：174912863@qq.com

序　言

八十一难皆是局，降妖伏魔一场戏

《西游记》与《三国演义》《水浒传》故事题材不同，然其根源一致，甚至与《红楼梦》也是殊途同归。

《三国演义》讲的是王侯将相，江山霸业；《水浒传》说的是绿林豪杰，江湖风雨；《红楼梦》写的则是公子小姐，家族兴衰……

有人的世界就有江湖，有江湖的地方就难免有纷争。历史如此，武侠如此，家族如此，仙幻世界也如此。

《西游记》所写的不仅是降妖伏魔、打怪升级，其故事展现的，更是以唐僧、孙悟空师徒为代表的三界仙佛妖鬼斗智斗勇的故事。

“斗智斗勇”中，“勇”很好理解。在许多读者印象中，孙悟空就是胆大无畏的象征，金箍棒在手的孙悟空，敢与天庭叫板，敢争玉帝宝座。

那么，这“智”体现在何处？

《西游记》中的“智”，不在于孙悟空如何捉拿妖怪，不在于唐僧如何逃过劫难。因为“八十一难皆是局，降妖伏魔一场戏”，所谓取经的种种磨难，本就是仙佛高层安排好的一场戏，孙悟空也好，唐僧也好，甚至大多数下界作乱的妖魔，其实都是拿着剧本，遵照导演的意图演戏而已。

为何这么说呢？

取经路上，为何众多妖魔抓到唐僧总是不吃？孙悟空大闹天宫横扫天庭群仙，为何取经时被许多妖魔打得狼狈？为何孙悟空明明能打败妖王，却偏要去求神拜佛，找寻妖魔主人？为何每当孙悟空挥起金箍棒时，定有仙佛高喊“大圣住手”？

这些事情若仅是偶然出现一次，可以说是意外；但若经常出现，其中必然内藏玄机。

作为名著，作为一部经历数百年大浪淘沙的经典作品，最大的特点就是经得起揣摩。不但语言精湛、表意精准，而且构架宏伟、情节巧妙、人物性格复杂多变。

此前多年，研究《红楼梦》《三国演义》者多，然而，肯耐下心来揣摩《西游记》的人少。

老叶喜欢《西游记》，喜欢《封神演义》，对中国神话十分痴迷。正是怀着一份爱慕与敬仰之心，老叶一而再、再而三地品读《西游记》，争取“勘破西游”。

在老叶的解读中，孙悟空不仅心高气傲，疾恶如仇，而且胆大包天，敢与玉帝叫板，他还狡猾多智，聪明诡谲，在一波又一波的降妖故事中迅速成长。取经八十一难，不单单是唐僧经历的种种磨难，更是孙悟空从幼稚莽撞到逐渐成长，学会借力打力，学会左右逢源，变得成熟、变得强大的人生历程。

唐僧也不仅是一心向佛，他在佛心坚定之余，也会有胆怯、有懦弱，甚至有古板、有迂腐、有尖酸刻薄、有刻意偏袒。

猪八戒与孙悟空之间既有相扶相持的融洽时光，更有钩心斗角、小肚鸡肠的种种矛盾。猪八戒拥有的，不仅仅是可爱，不仅仅是蠢萌，还有既凶残暴戾又伟岸高大的一面。

沙僧也不再是那个只知道高喊“大师兄，妖怪把师父抓走了”的路人甲。《西游记》原著中的沙僧，乃是玉皇大帝身边的禁军大将，心机深沉，城府如海。若单论智谋，他足以在唐僧师徒中排名第一。

“八十一难皆是局，降妖伏魔一场戏”，西游取经故事中，到底有哪些迷局？在种种迷局中，孙悟空、唐僧、观音菩萨、如来佛祖、太上老君等，各自又扮演了怎样的角色呢？

看完本书，相信您都会找到满意的答案。

叶之秋

2021 年 10 月 25 日

目 录

第一节　鱼精吃人

《西游记》从四十七回开始，用了三回写灵感大王金鱼精的故事。金鱼精的故事没有太多曲折，却颇有深意。

唐僧师徒来到车迟国陈家庄，见到陈老官家中正在举办法事。一打听，才得知陈老官在为自己的女儿和侄子提前举办“预修亡斋”。唐僧师徒奇怪，说出家多年，见闻也算广博，却从没有听说过有什么“预修亡斋”。陈老官长叹连连，说出了一个悲惨的故事。

九年前，通天河内忽然出现了一个强大的妖怪，法力通天。他大展神通，告诉当地百姓，每年必须举行一次献祭，每次献祭需要缴纳童男童女各一名，还有其他猪牛羊祭品。那妖王吃了，就保佑当地风调雨顺。若不按时献祭，就要降下灾祸。今年，正轮到陈老官家。

可怜陈老官兄弟二人，虽然广有田宅，可在子嗣上都很艰难。陈老官今年六十三岁，弟弟五十八岁，分别有一女一子。他们已经到了人生暮年，再不能生育。女儿和侄儿献祭之后，老陈家就要断后。可是，别的人家都正常献祭了，陈老官家怎能例外？若不献祭，不但妖王会生气，就连同村的百姓，也要对陈老官指指戳戳。

孙悟空笑着说，你老人家还是太小气，家里不是有钱吗？为何不花个五十两买个男娃，一百两买个女娃？何必一定要用自己儿女呢？

陈老官说出了一个很奇怪的事情。他说："老爷！你不知道，那大王甚是灵感，常来我们人家行走。他把我们这人家，匙大碗小之事，他都知道，老幼生时年月，他都记得。只要亲生儿女，他方受用。不要说二三百两没处买，就是几千万两，也没处买这般一模一样同年同月的儿女。"*

这通天河中住着的妖王，外号灵感大王。此妖有个怪癖，不但要吃童男童女，并且只吃陈家庄人的血脉。要想买其他地方的孩子代替，绝无可能。

这是怎么一回事呢？我把这个问题分成三步来回答。

第一步，妖怪为何要吃人？

大家都知道，《西游记》中的妖怪几乎都是吃人的，唯独一个妖怪例外，就是黄风岭上的黄风怪。因为他还处于假释期，受到灵吉菩萨监督，因此不敢吃人。

说到猪八戒和沙僧在参与取经后实力大跌，除了他们出于政治原因刻意隐藏了实力，其实还有一个原因，即没有吃人肉，改吃素了。并且，猪八戒和沙僧经常吃不饱，灵力补充不足，因此法力大降，取经过程中表现出的实力大致是出场实力的二十分之一。

猪八戒出场时实力不过略逊孙悟空，沙僧出场时也能逼平猪八戒。可后来两人双战黄袍怪，竟然八九个回合就落败。

---

* 文中引用的《西游记》原文，参见人民文学出版社 1955 年第 1 版、2010 年第 3 版《西游记》。全书同。

第二步，灵感大王为何要吃童男童女呢？

取经路上妖怪要吃唐僧时，都会提到唐僧的两点优势：其一，佛子转世；其二，一点元阳未泄。而童男童女虽然不是佛子转世，却同样具有元阳、元阴未泄的好处。

这个元阳、元阴有什么作用呢？

在天竺国玉兔精的故事中，原著这么写道：“（玉兔精）欲招唐僧为偶，采取元阳真气，以成太乙上仙。”

原来，利用秘法，吸收一定的元阳或者元阴，将大大提升修仙者的修仙效果，甚至实现仙人等级的跨越。而仙人等级的每一次跨越，都会大大延长修仙者的寿命。

第三步，灵感大王为何只吃陈家庄人，不能用其他地方的人代替呢？

首先，灵感大王水战实力很强，可以一敌二，战平猪八戒、沙僧。但是，陆战时被孙悟空三个回合就打跑了。一旁观战的鱼婆慨叹，若是跑得慢了，再有三个回合，灵感大王就会被孙悟空打死。

即，灵感大王陆战能力一般，他只能控制通天河以及两岸有限地带，具体范围为通天河加两岸一百里，共一千里。

在这个辖区内，东岸是以陈家庄为代表的车迟国村落，西岸则是西梁女儿国。

按说，通天河的西岸也是灵感大王势力范围，为何他不吃女儿国人呢？

后文提到唐僧与猪八戒误饮了子母河水，竟然也怀孕了。从此可见，子母河水等于一种育儿作弊器。有这河水，就可以完美解决后代问题。但是，这种吃了河水孕育的后代虽然和寻常人貌似一样，但其实有根本的不同。

最大的不同，就是女儿国人并非天地生成，因此没有元阳、元阴之气。这样的人，灵感大王吃了也没用。

正因如此，灵感大王坚持要吃陈家庄的童男童女。

第二节　奇怪态度

西游世界的妖怪很多，几乎都吃人，也有吃小孩的。比丘国故事中，寿星的坐骑白鹿精就怂恿国王，要吃一千一百一十一个小儿心肝，以求长生。

但真正专吃童男童女的，只有金鱼精。按照我们现在的观点，称金鱼精为变态食人魔也毫不过分。

只是这里有一个非常奇怪的现象：金鱼精来到通天河九年了，已经吃了八对童男童女了，可两岸的百姓没有一家试图反对这个邪恶规定。以陈家庄的富庶，陈家庄人完全可以拿出钱财，去请高人来降妖伏魔。要知道，通天河的东岸就是车迟国都城，有虎、羊、鹿三仙；通天河的西岸是金蜕山，金蜕山中有强大无比的青牛精。走过金蜕山是女儿国，女儿国附近有战斗力堪比猪八戒、沙僧的如意真仙。

金鱼精精通水战，堪比猪八戒、沙僧（当然是隐藏实力之后的猪八戒、沙僧），但陆战被孙悟空三个回合就打得骨软筋麻，落荒而逃。

可以说，只要陈家庄拿得出相应的贡品，就可以请来上述三方的高人。青牛精自不必说，不用金刚琢也可以轻松战败金鱼精；如意真仙的陆战也稳操胜券；虎、羊、鹿三仙实力弱一些，但三人联手，当不在金鱼精之下。

事实却是通天河沿岸的许多村庄，包括陈家庄，没有一家跑去请高人降妖。

明明灵感大王是吃人邪神，为何两岸千里百姓依然对他虔诚供奉呢？

陈家庄的陈老官陈澄吟诵了两首诗歌，可以为我们解惑："感应一方兴庙宇，威灵千里祐黎民。年年庄上施甘露，岁岁村中落庆云。""虽则恩多还有怨，纵然慈惠却伤人。只因要吃童男女，不是昭彰正直神。"

先看前四句，是说灵感大王金鱼精的好。自从金鱼精到来之后，通天河两岸千里之地，都蒙其庇佑。因为金鱼精的关系，各处村庄年年风调雨顺，五谷丰登，老百姓过上了幸福的生活。

听闻这四句，孙悟空不禁插话说："施甘雨，落庆云，也是好意思，你却这等伤情烦恼，何也？"连孙悟空都奇怪，灵感大王既然这么好，为何老陈还要悲伤落泪呢？

陈澄于是说了后四句。原来，灵感大王之所以答应庇佑通天河两岸千里百姓，是有条件的。这个条件就是每年要吃一对童男童女。

按照常理，听说这等残忍的事情，唐僧师徒应当愤恨不平才对。可是，不单单是唐僧沉默，孙悟空更是一脸平静，他只是说："要吃童男女么?"陈澄说："正是。"

孙悟空为何这么平静呢？因为他在天庭也做了将近二百年的神仙。对于神仙和凡人之间的权利与义务，他一清二楚。

神仙和凡人之间有什么权利与义务?

神仙答应凡人的祈求，都是有条件的，就是要有足够的香火。

这神秘的香火是什么东西呢?

既是百姓对神仙的信仰，更是现实的猪、牛、羊等祭品。

灵感大王的势力范围包括通天河在内的千里之内，沿江许多村庄都在他的庇护之内。陈家庄只是许多村庄之一。

他保佑着千里百姓，自然要有许多本钱消耗——不要以为神仙施法都是无本的买卖。像车迟国的虎、羊、鹿三仙在求雨的时候就答应给玉帝许多好处，在让土地按住孙悟空头颅的时候也许诺为土地修建大庙宇。

灵感大王本人没有资格降雨，他保佑沿江百姓风调雨顺，需要花钱疏通高层仙人，要上交玉帝一笔不小的费用。

可是，灵感大王索取的回报是什么呢？一年一对童男童女。

用我们现在的观点来看，吃一对童男童女很残忍、贪婪。因为人命是无价的。

但在吴承恩那个时代，在西游的世界中，人命恰恰是有价的。孙悟空就说，一个男孩五十两银子，一个女孩一百两银子。就算加些杂费，顶多两百两银子就可以买到一对童男童女。

相比车迟国的虎、羊、鹿三仙，灵感大王的保护费可实在不算高。虎、羊、鹿三仙保护百姓风调雨顺，可是有大回报的。

在车迟国，三仙比什么宰相、将军风光多了。就连国王见了他们，也要起身相迎。至于他们获得的金银财宝更是无数。国王还下令修建了庞大的三清观给三仙。修建三清观，少说也要花了数十万两银子。

灵感大王呢，只需要陈家庄花两百两银子就可以让他对付一年。

正因为金鱼精的保护费收取的不算高，通天河两岸的百姓才会在八年间都没有反对。要知道，挖个河沟，搞个引水渠都需要成百上千的银子，而现在每年只是交出一对童男童女就可以要风得风，要雨得雨。

那陈澄一家为何哭泣呢？孙悟空一眼就看破了真相。他说："想必轮到你家了？"原来，只因事到临头，关乎自家孩子的性命，陈澄才会如此伤心。

这陈澄与其弟陈清都是非常精明的人，精明到让人心寒。为何这么说？

因孙悟空答应变成陈关保，参加献祭，陈清立刻跪地磕头说："老爷果若慈悲替得，我送白银一千两，与唐老爷做盘缠往西天去。"孙悟空说："就不谢谢老孙？"陈清道："你已替祭，没了你也。"

按照道理，是孙悟空替陈清家孩子去死的，他应当感谢孙悟空才对。可是，他没有，他只是感谢唐僧。孙悟空奇怪了，就询问原因。那陈清竟然没有丝毫羞愧，而是十分坦然地回答：你那时候都已经死了，我谢不着你了。

陈家兄弟广有田宅，书中说：“水田有四五十顷，旱田有六七十顷，草场有八九十处，水黄牛有二三百头，驴马有三二十匹，猪羊鸡鹅无数。”古时候一顷地等于一百亩，一亩地等于六百六十六平方米。这陈家乃是拥有良田万亩的大地主。古时候一亩地多则二三十两银子，少则五六两银子，我们简单一点按一亩地十两银子来算的话，这陈家光田产就价值十万两银子。

可是，人家救了他儿子，他只是拿出了一千两作为酬谢，忒小气了！

孙悟空坚信自己不会死，就开玩笑说，此去若是死了，算自己命苦，若是侥幸活命，是自己造化，无论怎样，都不会赖上陈家。听孙悟空说话这么爽快，陈清立刻表态，将感谢礼金再加五百两。

原来，在陈清心目中，救下儿子性命的大恩人孙悟空，只值一千两银子。看孙悟空表态，以后唐僧师徒绝对不会赖上陈家，陈清才又加了五百两银子。

第三节　童男可怕

在陈家庄，孙悟空变成童男陈关保，猪八戒变成童女一秤金，参加了献祭。人群退去后，忽然一阵狂风吹过，灵感大王金鱼精来到。

作为镇守通天河的一方妖王，在自己的辖区内出行，灵感大王本应当安全感十足。何况，他此次来到自家庙宇，乃是按照与百姓的契约享用祭品。可是，灵感大王来到庙宇，见到童男童女后的种种举动，却显得非常奇怪。

有哪些奇怪之处呢？看原文：

“那怪物拦住庙门问道：‘今年祭祀的是那家？’行者笑吟吟的答道：‘承下问，庄头是陈澄、陈清家。’那怪闻答，心中疑似道：‘这童男胆大，言谈伶俐。常来供养受用的，问一声不言语；再问声，唬了魂；用手去捉，已是死人。怎么今日这童男善能应对？’怪物不敢来拿，又问：‘童男女叫甚名字？’行者笑道：‘童男陈关保，童女一秤金。’怪物道：‘这祭赛乃上年旧规，如今供献我，当吃你。’行者道：‘不敢抗拒，请自在受用。’怪物听说，又不敢动手，拦住门喝道：‘你莫顶嘴！我常年先吃童男，今年倒要先吃童女！’八戒慌了道：‘大王还照旧罢，不要吃坏例子。’”

奇怪之处一，灵感大王仿佛早有预感，知道此行可能危险。于是，他没有直接走入庙宇，而是“拦住庙门”，即堵在庙门口。如此，他可以观察到庙宇内部的种种情况，万一发现不妥，可以及时逃离。

奇怪之处二，孙悟空的回答竟然让灵感大王害怕。原著中对灵感大王的心理活动有一番描写。仿佛灵感大王害怕的原因是因为童男胆大，伶牙俐齿。很明显，这绝非真正的原因。一个人类，再胆大，再伶牙俐齿，还能逃得脱灵感大王的魔掌？

奇怪之处三，专挑软弱者。听闻童男说“请自在享用”，灵感大王反倒害怕，不敢下手。见到童女慌张，灵感大王大喜，直接就来抓猪八戒。为何愿意给他吃的，他不敢吃，不想被他吃的，他偏偏想吃呢？

柿子专挑软的捏？

事情的真相当然不会如此简单。

先说第一点：灵感大王是否预感到了危险？

陈家二老在介绍灵感大王的时候说："他把我们这人家，匙大碗小之事，他都知道，老幼生时年月，他都记得。"

这妖怪为何叫作"灵感大王"？原来，他拥有一种特殊而强大的神通——灵感。

通天河附近一千里的地方，有任何大事小情，这灵感大王都能感应到。老百姓想要隐瞒什么，比如换个买来的童男童女献上，根本就不可能。

这灵感神通和如来、观音的慧眼神通何其相像。

我的理解，这所谓"灵感"，其实就是慧眼神通的初级版、弱化版。

正因为拥有灵感之能，唐僧师徒来到陈家庄，踏入他的领地，妖怪就已经知道了。只是，他的神通其实有限，并不能真的感应到千里之内所有人事的细微变化。

孙悟空在献祭前也特别交代陈家二老："你将好果子与他（一秤金）吃，不可教他哭叫，恐大王一时知觉，走了风讯，等我两人耍子去也！"

也就是说，一方面是陈家二老保密工作做得好，另一方面是妖怪的感应能力相对较弱。他虽然知道唐僧师徒来到了陈家庄，很可能给自己带来危险，但是他并不知道孙悟空、猪八戒已经变成童男童女。

正因为如此，他虽然感应到了危险，但还是前来享用祭品。并且，他此次出行连兵器都没有带。

再说第二点：灵感大王到底怕什么？

既然灵感大王已经感应到了唐僧师徒就在陈家庄，那么他害怕的真正原因就很好理解了。

他怕的，绝非童男童女，而是唐僧的三个徒弟，尤其是孙悟空。

第三点：为何吃童女？

以前的八年，童男童女在他到来时，都会吓破胆，可眼前的童男竟然伶牙俐齿，极有可能是孙悟空等人变化的。童女害怕被吃，则可能是真的童女。而即便不是真的童女，也可以证明，这童女的变化者其实害怕自己。

于是，灵感大王避开了危险的童男，朝软弱的童女下手。

谁曾想，猪八戒虽然一直嚷嚷害怕，但其实都是装傻而已。见到妖怪伸手来抓，猪八戒现出本相，一钉钯筑破了妖怪铠甲。妖怪受伤，急匆匆逃回通天河。

第四节　观音不梳妆

《西游记》中，观音菩萨是一个思虑周详的大人物。翻遍整部《西游记》，唯一的一次“失态”，就是在通天河金鱼精抓捕了唐僧时。

观音如何失态呢？又为何失态呢？

因灵感大王躲在水下不出战，孙悟空只好去南海请观音。当孙悟空来到南海时，看到观音麾下的全部仙人都来迎接。孙悟空说，有急事要见菩萨，众仙却说：“菩萨今早出洞，不许人随，自入竹林里观玩。知大圣今日必来，吩咐我等在此候接大圣，不可就见。请在翠岩前聊坐片时，待菩萨出来，自有道理。”

孙悟空依照吩咐等了好一会儿，可是菩萨还没有出来。孙悟空等不及了，说：“列位与我传报传报，但迟了，恐伤吾师之命。”可是，众仙竟然不敢通报，因为菩萨早就吩咐只能等她自己出来。

听到如此说，孙悟空有点生气，自己就往竹林里闯。

然后，孙悟空看到了怎样一个观音呢？原著中是这么写的：“远观救苦尊，盘坐衬残箬。懒散怕梳妆，容颜多绰约。散挽一窝丝，未曾戴缨络。不挂素蓝袍，贴身小袄缚。漫腰束锦裙，赤了一双脚。披肩绣带无，精光两臂膊。玉手执钢刀，正把竹皮削。”

《西游记》中的观音并非四十来岁的和蔼中年美妇，而是二八少女模样。此刻，观音没带头饰，头发只是随便挽了一下，身上也没穿正装，只是穿一个贴身小袄缚、束锦裙，还光着膀子。

见到孙悟空闯进来，观音也没生气，只是简单吩咐：在外面候着。孙悟空上前解释，观音还是那句，你先出去，等我出来。她也不解释，把孙悟空闷得半死。

没用多久，观音提着紫竹篮出来了，喊孙悟空同行，去救唐僧。原文说：“行者慌忙跪下道：‘弟子不敢催促，且请菩萨着衣登座。’菩萨道：‘不消着衣，就此去也。’那菩萨撇下诸天，纵祥云腾空而去，孙大圣只得相随。”

看到这里，问题就来了。观音一向心思细密、谋划周详，为何此次如此失态呢？即便再匆忙，也该穿好衣服再出门，不然实在有失体统。

猪八戒看到了这样的观音，说：“师兄性急，不知在南海怎么乱嚷乱叫，把一个未梳妆的菩萨逼将来也。”

事实上，孙悟空不但没催逼，反而提醒观音要换好衣服，是观音自己不换，坚持如此打扮的。

为什么？

因为需要。作秀的需要。观音如此出行，要表达什么呢？

第一，她需要与金鱼精划清界限，标榜金鱼精害人与己无关。

观音在降伏金鱼精后，向孙悟空、猪八戒等人讲述金鱼精来历：“他本是我莲花池里养大的金鱼，每日浮头听经，修成手段。那一柄九瓣铜锤，乃是一枝未开的菡萏，被他运炼成兵。不知是那一日，海潮泛涨，走到此间。”

原来，这金鱼精乃是观音莲花池中金鱼，因为经常听观音讲经，明悟仙道，有了神通。之后，它又偷走一株未开的荷花，炼化成了兵器，到通天河作乱。

唐僧到达通天河时是贞观十八年的八月，距离离开长安已经是第六个年头。而金鱼精早在九年前就已经离开了。从时间看，貌似金鱼精的离开并非为了唐僧。但是，我们不要忘了，当初金蝉子转世投胎到殷小姐肚子中时，南极仙翁就强调，是奉了观音之命。也就是说，观音早在三十年前就已经开始具体落实唐僧取经行动了。

并且，金鱼精之所以得道，是每天浮头听讲，而金鱼精一去九年无消息，观音竟然都没发觉。你信吗？

可是，观音只是放金鱼精到通天河为妖，并没有交代他吃童男童女，为祸一方。那金鱼精竟然还号称灵感大王。观音的法号，不就叫作“南海普陀落伽山大慈大悲救苦救难灵感观世音菩萨”吗？金鱼精明摆着打着观音的旗号，肆意妄为。

因此，观音必须与吃人妖精划清界限，为“灵感”二字正名。

第二，她告诉唐僧师徒，告诉孙悟空，为取经大业，我日夜操劳。

原著中观音明明白白地说了自己不梳妆的原因：“我今早扶栏看花，却不见这厮出拜，掐指巡纹，算着他在此成精，害你师父，故此未及梳妆，运神功，织个竹篮儿擒他。”

观音说，只因掐指一算，算到金鱼精要谋害唐僧，破坏取经大业，因此心急如焚，连梳妆都顾不上，就去降妖伏魔。

我们说过，如来与观音都不会未卜先知。所谓掐指一算，真相应该是护驾伽蓝暗中通报消息，让观音知道，大约在明天，妖怪就会吃唐僧。

在平顶山一难中，因得知是观音邀请太上老君故意放金角、银角大王下界，为难取经团队，孙悟空大怒，并诅咒了观音。于是，观音希望如来、唐僧师徒尤其是孙悟空，看到自己为了完成取经大业兢兢业业、日夜操劳、不计劳苦的模样。

其实，她并非没有换衣服的时间，而是这样做更有噱头。

第三，告诉下界百姓，她有慈悲心肠。

孙悟空是非常聪明的，他窥破了观音故意不梳妆打扮的用意。在收服金鱼精后，孙悟空提议：“菩萨，既然如此，且待片时，我等叫陈家庄众信人等，看看菩萨的金面。一则留恩，二来说此收怪之事，好教凡人信心供养。”

孙悟空说得明白，以未梳妆打扮见人间信徒，一可以留恩，二可以争取供养。总之，将未梳妆的姿态做足，将影响力发挥到最大。

孙悟空这一招效果果然奇佳——一庄老幼男女都向河边，也不顾泥水，都跪在里面，磕头礼拜。

之后，观音带着金鱼精回归南海。

除了以上三个原因，观音选择未梳妆就出门还有一个重要原因，即神秘东海鳜鱼婆的出现，差点弄砸了观音的计划。观音不得不急忙做出应对。

那么，神秘的鳜鱼婆究竟是何来历？

第五节　通天小妖

正常情况来说，历史常常是由大人物书写的。可是，也有例外。一些不起眼的小人物，经常能够左右大人物，从而改变整个历史的进程。

楚汉相争时，刘邦率领各路盟军兵围垓下。项羽趁夜突袭，一路狂飙。本来，项羽有机会率领精锐逃回后方，重整旗鼓。可惜，一个小人物的出现，改变了项羽的命运。

撤退途中，项羽迷失方向，向一个农夫问路。农夫认出了楚军服色，他故意指了一个错误的方向，导致项羽军队陷入沼泽，死伤惨重，被汉军追上。项羽虽最终突围，可八百精锐只剩下二十八骑。伤心绝望之下，项羽无颜再见江东父老，在乌江自刎。

项羽自然不会承认是农夫害死了自己。可是，谁会认为农夫和项羽之死毫无关系呢？

在《西游记》通天河的故事中，也有那么一个类似农夫的小妖，在不知不觉中左右着灵感大王金鱼精。只是，金鱼精被利益冲昏了头脑，根本看不清真相。

此妖就是来自东海龙宫的鳜鱼婆。

故事开始时，孙悟空与猪八戒变化成童男童女模样，金鱼精前去吃小孩，结果被猪八戒一钉钯打掉了两个大鳞片。金鱼精吃痛逃回了老巢，闷闷不乐。他告诉虾兵蟹将说：“不期他手下有这般徒弟（八戒），我被他坏了名声，破了香火，有心要捉唐僧，只怕不得能彀。”

本来，金鱼精将就此放弃吃唐僧，那样的话，唐僧可以顺利渡过通天河，金鱼精也可以继续在通天河称王称霸，也算一举两得。可是，忽然在水族中闪出一个鳜鱼婆，她说了一番话，让金鱼精信心大增，重新开始抓捕唐僧的计划。

鳜鱼婆告诉金鱼精，只要趁着夜间刮一阵寒风，下一场大雪，把通天河全部给冻住，唐僧取经心切，必然会从冰上过河。等到唐僧师徒走到河中心的时候，金鱼精就崩开冰面，擒拿唐僧。

金鱼精一听大喜，表态若是成功，必定和鳜鱼婆结为兄妹，同享富贵。随即他前去兴风作雪。第二天，果然八百里通天河全部结冰。第三天，唐僧出行，金鱼精成功抓捕了唐僧。

鳜鱼婆为何要帮助金鱼精呢？原文说："大王，要捉唐僧，有何难处！但不知捉住他，可赏我些酒肉?"按照她的说法，是因为金鱼精说，吃一块唐僧肉就可以延寿长生，于是，也想分一块肉吃。

这个理由表面看来非常合理。可事情真的是这样吗？

金鱼精抓了唐僧回到水府后，非常高兴，马上兑现当初的承诺：其一，称呼鳜鱼婆为贤妹；其二，吩咐小妖，将唐僧开膛破肚，与鳜鱼婆分享唐僧肉。

按照常理推测，此时鳜鱼婆应当大喜，积极和金鱼精一起开吃唐僧肉才对。可是她没有。

鳜鱼婆告诉金鱼精："大王，且休吃他，恐他徒弟们寻来吵闹。且宁耐两日，让那厮不来寻，然后剖开，请大王上坐，众眷族环列，吹弹歌舞，奉上大王，从容自在享用，却不好也?"

鳜鱼婆提出，要想吃唐僧肉，必须吃得安心。因为吃唐僧肉只是延寿长生，并非不会死。若是因吃了唐僧肉，激怒了唐僧徒弟发狠来打，大家鱼死网破，实在不美。

听了鳜鱼婆这话，金鱼精也觉得有点道理，于是把唐僧放在一个石盒子里装了起来。

正因为鳜鱼婆这番话，唐僧才躲过了危机，最终活了下来。

后来，金鱼精以一敌二，战平猪八戒、沙僧，却在水面被孙悟空打得大败。回到水府，金鱼精把打斗情况告诉鳜鱼婆。曾经告诉金鱼精抓唐僧一点不难的鳜鱼婆竟然说："大王啊！亏了你识俊，逃了性命！若再三合，决然不得全生！那和尚我认得他。"金鱼精问那和尚是谁，鳜鱼婆说："我当年在东洋海内，曾闻得老龙王说他的名誉，乃是五百年前大闹天宫、混元一气上方太乙金仙美猴王齐天大圣，如今归依佛派，保唐僧往西天取经，改名唤做孙悟空行者。他的神通广大，变化多端，大王，你怎么惹他！今后再莫与他战！"

听到鳜鱼婆如此说，金鱼精吓了一跳，赶紧把洞府的门用石头全部封死——我不出去，你也别进来。

金鱼精对鳜鱼婆言听计从，哪里知道自己其实被她耍得团团转。

问题的关键在哪里？

当初金鱼精为何要放弃抓唐僧？是因为"不期他手下有这般徒弟"，即唐僧的徒弟厉害。当时，金鱼精虽与孙悟空和猪八戒都打了照面，但只是单和猪八戒交了手。从他的话语中可以推测，金鱼精是不知道唐僧有三个徒弟，更不知道三个徒弟又都是什么来历的。

那鳜鱼婆知道吗？一定知道。

鳜鱼婆明明白白地告诉金鱼精：她知道孙悟空就是五百年前大闹天宫的齐天大圣，修仙等级是混元一气太乙金仙；她知道孙悟空已经拜唐僧为师，保护唐僧前往西天取经。

鳜鱼婆告诉金鱼精：大王，你怎么惹他？若我是金鱼精，听了这句话，会恨死了鳜鱼婆——不是你让我去惹他的吗？你早就知道孙悟空是唐僧徒弟，还叫我去抓唐僧，你安的什么心？

是啊，鳜鱼婆到底安的什么心？一方面怂恿金鱼精抓捕唐僧，另一方面抓到了唐僧又劝金鱼精先不要去吃，最后竟然还劝金鱼精莫要招惹孙悟空。

若是大家看过我对平顶山金角大王的分析，就会明白——这鳜鱼婆和当初金角大王的行事作风完全一致。

劝金鱼精抓唐僧，是因为要凑满一难；劝金鱼精别吃唐僧，是保证唐僧的安全。

这鳜鱼婆绝对是接受了高层指派，混入通天河执行任务的。

那么，交代鳜鱼婆这个“抓捕唐僧又饶过唐僧”任务的大仙是谁呢？

应该不是观音。若是观音，她就不必在未梳妆打扮的情况下匆匆前往了。并且，原文说：“八戒与沙僧，分开水道，径往那水鼋之第找寻师父。原来那里边水怪鱼精，尽皆死烂。”原来，观音用紫竹篮抓捕金鱼精的同时，也把通天河中的所有妖怪全部杀死了。其中，自然也包括了鳜鱼婆。若鳜鱼婆是观音派出的卧底，下场应该不致如此凄惨。

我的理解，这鳜鱼婆应该是太上老君指派的。

有两个证据。其一，前文说了，鳜鱼婆的行事作风和金角大王完全一致，既要抓唐僧，又要保唐僧。其二，鳜鱼婆自己说，她来自东海。而东海龙王敖广，在很多年前就已经是太上老君的人马了。在孙悟空杀六贼后，东海龙王以“张良拾履”故事劝说孙悟空一回中，我有详细分析，此处不提。

太上老君为何要如此做呢？

前文我们反复讲过，太上老君要夺回对佛派的控制权，就必须让孙悟空、猪八戒进入佛派高层，自然就必须保证取经任务的顺利完成。可是，孙悟空、猪八戒很容易在执行任务的时候被观音笼络，甚至超脱太上老君的掌控。因此，太上老君经常在有意无意间，恶化孙悟空、猪八戒和观音的关系。

金鱼精乃是观音的宠物，他下界作乱，观音难辞其咎。若唐僧一行轻松经过通天河，那么，金鱼精的罪恶就难以曝光，于是，鳜鱼婆劝金鱼精抓捕唐僧，破坏取经，就显得非常必要了。

在这个故事的结尾，孙悟空请观音在陈家庄现身后再回南海，表面上是帮助观音清除金鱼精在人间的坏影响，其实也等于告诉世人，金鱼精就是观音放出来的，吃童男童女是观音默许的。

第六节　神秘咒语

在孙悟空邀请下，观音菩萨匆忙来到通天河，施展法术擒拿妖怪。

施法时，观音念了一段奇怪的咒语，叫作“死的去，活的住”。

还连续念了七遍。

这段咒语的效果极好。念第七遍的时候，观音提起鱼篮，就看到里面有一只金光灿烂的金鱼。

观音让孙悟空下水去救唐僧，孙悟空还一脸狐疑地表示，妖怪都没抓到，怎么救师父。按照常理，观音施法念咒，一旁的孙悟空应该能够感受到强大的法力波动，事实却是，孙悟空毫无异样感觉。在浑然不觉中，观音就已经擒获了妖怪。

等到猪八戒、沙僧下水后，更是惊讶地发现，“原来那里边水怪鱼精，尽皆死烂”。那通天河中灵感大王麾下的虾兵蟹将，竟然全部都死了。整个水鼋之第，只有石头匣子中的唐僧是活的。

观音所念的咒语到底是什么意思呢？为何河中的小妖会神秘死亡呢？

要想弄清楚咒语的含义，首先让我们来看看观音念咒时的语境。

观音施法后，孙悟空、猪八戒、沙僧询问妖怪来历。观音介绍说：“他本是我莲花池里养大的金鱼，每日浮头听经，修成手段。那一柄九瓣铜锤，乃是一枝未开的菡萏，被他运炼成兵。不知是那一日，海潮泛涨，走到此间。我今早扶栏看花，却不见这厮出拜，掐指巡纹，算着他在此成精，害你师父，故此未及梳妆，运神功，织个竹篮儿擒他。”

观音这番话，前两句是回答三兄弟提问，后两句则是主动说明。

猪八戒、沙僧询问金鱼精的来历，观音毫不隐瞒。

金鱼精为何水下功夫了得？他听了观音讲经说法，故此才能修成如今手段。金鱼精手中的兵器能够和金箍棒、九齿钉钯、降妖杖交锋而不落下分，堪称三界罕见的神兵利器。这兵器竟只是潮音洞莲花池中一朵未开的荷花花苞。

相对而言，观音的后两句话更值得反复琢磨。观音主动告诉三人，她对金鱼精的出走毫不知情。应当是金鱼精趁着海潮，来到了通天河作乱。今早她算出缘由，不及梳妆，立刻出行降妖。

孙悟空在平顶山得知金角、银角大王乃是太上老君童子时，异常气愤，责备太上老君放纵下属。太上老君立刻表示，不是自己管教不严，是观音求了三次，自己为了配合取经工作，才放二人下界。

此中深意，孙悟空早已明白，所以他听了观音如此讲述后，立刻表示理解，并且请求观音接见陈家庄百姓，把观音的慈悲形象永留人间。

只是，观音所讲，都是事实吗？

当然不是。

后文中，通天河中的千年老鼋告诉孙悟空："那妖邪乃九年前海啸波翻，他赶潮头，来于此处。"那金鱼精是在九年前就来到通天河。

观音菩萨自己说，那金鱼精得道，是因为"每日浮头听经"。这个每天都来听讲的乖学生，一消失就是九年，为何观音一直没发现？

很明显，观音在撒谎。她早就知道金鱼精在九年前溜走了，甚至可以说，金鱼精的溜走，乃是观音暗中给足条件，放他来到通天河的。

而且大家看观音的言语：一方面，她表示自己不知道金鱼精何时离开南海的；另一方面却又说金鱼精是趁着涨潮来到通天河的。这不是很矛盾吗？

并且，南海距离通天河有多远？通天河乃是西牛贺洲中部的一条内陆河，金鱼精要趁着涨潮从南海落伽山跑到通天河，这潮水可真大！这路途可远不止十万八千里。若没观音推波助澜，绝不可能。

通天河故事中，若金鱼精下界是执行公务，那他必然知道唐僧背景强大，可抓不可吃。像金角大王就是先怂恿银角大王抓人，等抓到唐僧后，又力阻银角大王吃唐僧。波月洞的黄袍怪也一样，抓到唐僧后就丢在了一边。九灵元圣就更好玩了，抓到孙悟空后根本不看押，孙悟空半夜逃跑惊动了小妖，他也不追击。只因为他们都是奉命下界的，知道取经团队背景深厚，惹不得。

可金鱼精呢，他抓到唐僧后立刻就要开吃。幸亏一边有一个神秘的鳜鱼婆提醒，他才把唐僧关押了起来，说等孙悟空不闹了，再吃放心肉。

由此可见，这金鱼精并非奉命出差，而是私自逃离南海的。

只是，金鱼精自以为逃离行动天衣无缝，但他万万没有想到，自己的每一步行动，都在观音的掌握之中。

他能来到通天河，就是观音联手西海龙王布置的一个局，目的就是要金鱼精充作一难（黑水河小鼍龙也是趁着潮水来到黑水河，那潮水也当是西海龙王控制的）。

唯有让金鱼精毫不察觉，自以为得计，他才会放心作恶。

回到开头，再看观音所念的咒语，就很好理解了。

什么叫作“死的去，活的住”？

古代的“去”，含义和现代不同。现代是表示前往，古代则表示离开。“死的去”，即若唐僧死了，你就立刻离开吧！“住”，就是留下。“活的住”，即若唐僧还活着，你就留下吧！

观音有慧眼神通，只要施法，就可以看遍四大部洲，听遍四大部洲。因此，她自然知道唐僧还活着。

更何况，唐僧身边还有三十九位护法神保护，随时向观音禀报消息。唐僧的一举一动、一言一行，都在观音的监控下。

她之所以要说“死的去，活的住”，是为了向金鱼精施恩——你犯下了种种罪孽，看在往昔的情面上，我留你一命。但若唐僧死了，我也救不了你，你就快跑吧！

观音菩萨一共念了七遍咒语。以观音的神通，若真的要抓金鱼精，还需要念七遍咒语吗？直接一伸手，就可把金鱼精从通天河中抓出来了。

她念七遍咒语，是为了给金鱼精充分的时间做事情。

做什么事情？

做扫尾工作。在观音念咒的时间中，灵感大王对手下那些虾兵蟹将，尤其是知道自己隐秘的小妖——比如鳜鱼婆——痛下杀手。

因为九年来金鱼精难保不泄露自己的出身来历。也正因为是金鱼精自己下手杀死了通天河内的小妖，在半空中的孙悟空才会毫无察觉。

金鱼精用六遍咒语的时间干掉所有小妖，在第七遍咒语中，跃入了观音的鱼篮。

第七节　天罡地煞

在通天河畔的陈家庄，孙悟空主动提出帮助陈家参加祭赛，替换下童男童女。于是，孙悟空变成陈关保，猪八戒变成一秤金。一贯爱藏拙的猪八戒，在孙悟空的催促下被迫施展了一次变化之术。

这是猪八戒第一次当着唐僧的面施展变化神通。变化的结果非常搞笑，猪八戒头部和下身成功变成了小女孩模样，可是，中间的身体尤其是胖大的肚子，依然是八戒原本的模样。大伙不禁哈哈大笑。孙悟空催促八戒好好变，八戒嘟囔说：“凭你打了罢！变不过来，奈何?”八戒表示，就是孙悟空用棍子打他，他也没有法子变成小巧精致的女孩模样。

最终，还是在孙悟空一口仙气的帮助下，猪八戒的肚子才成功缩小，变得与一秤金一模一样。

单看这个故事，我们似乎可以认为，猪八戒的变化之术远远不如孙悟空。

事情真的是这样吗?

当然没有这么简单。

猪八戒修炼的变化之术，其实要比孙悟空的还要高明。

猪八戒修炼的叫作天罡变，孙悟空修炼的叫作地煞变。原著中菩提祖师在传授功法的时候曾经这样询问孙悟空："你要学那一般？有一般天罡数，该三十六般变化；有一般地煞数，该七十二般变化。"孙悟空回答："弟子愿多里捞摸，学一个地煞变化罢。"

按照传统神话的一贯原则，天罡高于地煞。在同为明朝四大奇书的《水浒传》里，三十六天罡星的排名就是在七十二地煞星之上。

孙悟空本人的回答也能说明问题。师父让孙悟空二选一，孙悟空表态愿意选择变化"多"的，而并非变化"强"的。

变化多，很可能简单易学，但功效则相对要弱；变化强，很可能复杂难懂，但一旦学成，功效则较强。

那如何解释孙悟空变化起来比猪八戒要像、要顺畅呢？

有两种可能。

其一，天罡变的功法虽然高明，但猪八戒天性懒惰，不肯下苦功，于是达到的层次较低。

其二，猪八戒拥有强大的变化神通，但是因为种种原因，在取经路上他不愿意出力，一直在隐藏实力。

哪一种更接近真相呢？

第二种，即猪八戒一直在装傻、在偷懒、在藏拙。

猪八戒的变化神通究竟如何呢？

取经路上，猪八戒也曾经主动展示变化神通，但几乎都是在孙悟空不在场的时候。

第一次是在宝象国。因国王热情邀请猪八戒救回公主，他当众展示了一番神通。

国王问猪八戒会不会变化，八戒让国王出题。国王让变个大的。原文说："那八戒他也有三十六般变化，就在阶前卖弄手段，却便捻诀念咒，喝一声叫：'长！'把腰一躬，就长了有八九丈长，却似个开路神一般。百官心中害怕，就问八戒，变到多大是个头。猪八戒哈哈一笑说：'看风，东风犹可，西风也将就；若是南风起，把青天也拱个大窟窿！'"

把天捅个窟窿自然是吹牛，但这句玩笑话中也体现出猪八戒是可以变到极大的。孙悟空与二郎神曾经施展法天象地神通，身高万丈，猪八戒虽然没有施展，但我们可以推测，他一样会这种法术。

在七绝山时，因百姓们答应提供许多食物，可以放开肚皮尽情饱餐，猪八戒大喜，于是变化成一头超级大白猪，单单蹄子就有一千尺，身上的鬃毛长达一百丈，两只眼睛如同日月一般。

书中说猪八戒"修成坚骨同天寿，炼就粗皮比铁牢"，变身成野猪形态后，攻防能力堪比牛魔王，距离金刚不坏也不远了。

不过，猪八戒经常宣扬自己的变化之术有缺点。

陈家庄中，猪八戒就说："我只会变山变树，变石头变癞象，变水牛变大胖汉还可，若变小女儿，有几分难哩。"

为何可以变成山，变成树，变成大象，变成水牛，就不能变成小女孩呢？

猪八戒解释说："哥呀，似这般小巧俊秀，怎变？"

原来，八戒的理由是，他只会变粗大，不会变小巧。

真相是这样吗？

当然不是。

盘丝洞前濯垢泉中，猪八戒见到七个蜘蛛精变化成的美女都全身赤裸，在泉中洗澡，八戒大喜，就想冲下泉水同洗。七个蜘蛛精紧张万分，就要施法。八戒怎样应对？原文说：

“不知八戒水势极熟，到水里摇身一变，变做一个鲶鱼精。那怪就都摸鱼，赶上拿他不住。东边摸，忽的又渍了西去；西边摸，忽的又渍了东去；滑溜溜的，只在那腿裆里乱钻。”

这八戒说自己不会变小巧的东西，可是在此变成了一条滑不留手的鲶鱼。这鲶鱼，恰恰就是小巧的东西。

回想大闹天宫时孙悟空变的鱼，“似金鱼，尾巴不红；似鳜鱼，花鳞不见；似黑鱼，头上无星”，以至于被二郎神一眼看破。这说明什么，说明孙悟空的变化之术有破绽。

可是，猪八戒变成的鲶鱼呢？毫无破绽，活灵活现。以至于七个蜘蛛精都以为猪八戒是一个鲶鱼精。

孙悟空在变化成人形的时候，经常不能变掉尾巴。那么，猪八戒变成人形的时候，是不是不能变掉肚子呢？

在无底洞故事中，猪八戒曾经变成一个黑胖和尚。既然是胖和尚，自然有大肚子。这仿佛可以作为一个猪八戒变化有缺陷的证据。

可是，在车迟国故事中，孙悟空大闹三清观，其中就提到猪八戒摇身一变，变成了太上老君。太上老君可是一个体型正常的老头儿，这时猪八戒胖大的肚子自然是变没了。

由此可见，孙悟空的变化之术尚有缺陷，而猪八戒的变化之术基本无缺陷。

那么，猪八戒为何要装傻呢？

猪八戒第一次泄露自己会天罡变，是在高老庄。当时孙悟空变成高翠兰，说父亲要请高人来降妖。猪八戒自信满满，告诉高翠兰不用担心，自己会天罡数的变化，神通那是非常了得。

在加入取经团队后，猪八戒打怪一度很积极。可是，等沙僧加入，明确三兄弟分工后，猪八戒就完全变成了另外一个人，整天叫苦叫饿，遇到事情就往后缩，唐僧一被抓他就吵嚷散伙。

这也难怪，猪八戒的日常工作是最累最辛苦的。

孙悟空负责降妖伏魔，确实责任重大。可是，取经十四年，一共遇上了几个妖魔？取经号称八十一难，但降伏一个妖怪经常就算作三四难。简单统计一下，孙悟空遇上的妖王也就三十个左右。平均下来，一年也就遇上两个多些。也就是说，一年三百六十天中，孙悟空经常有十一个月啥也不用干。

沙和尚负责牵马、喂马。这虽是个琐碎工作，却不怎么辛苦。

猪八戒则不同，他整天挑担，担子又沉重，光四个人睡觉的竹席估计就不下百十斤。猪八戒是天神下凡不假，可是，施展法力是要消耗能量的。唐僧师徒常年在山野行走，猪八戒三兄弟经常一饿就是半月。孙悟空耐饿，沙僧也还行，唯独猪八戒是个大吃货，不吃东西就没力气。猪八戒多次抱怨说："偏你跟师父做徒弟，拿我做长工！"

正因为待遇最恶劣，工作又没前途，猪八戒才会总是藏拙。至于在陈家庄变不掉胖大肚子，那纯粹是因为猪八戒有言在先。既然决定了装怂包，那他就得一直演下去。

第八节　千年老鼋

观音收走了金鱼精后，陈家庄人准备船只，让唐僧师徒渡河。这时候，水中忽然波涛涌起，现出一个超大的老鼋来。这老鼋主动要求帮忙送唐僧师徒渡过通天河，以报答消灭金鱼精，夺回府邸的恩情。唐僧师徒自然大喜，大伙儿乘坐老鼋，顺顺利利渡过了通天河。

到了对岸，唐僧再三表示感谢。老鼋回答说，不用谢，若一定要谢，我有一个心愿，希望唐师父帮忙。原来，那老鼋已经修行了一千三百年，可是，还不能脱去龟壳，化成人形，因此十分苦恼。老鼋希望唐僧前往灵山拜见如来的时候，顺口帮忙问问，他何时才能脱去龟壳，化成人形。唐僧听了，连忙答应。

一晃多年过去。唐僧师徒取回真经后，驾香风回归东土。途中，观音菩萨统计取经磨难，一共才只算到八十难，于是连忙传令，把唐僧师徒抛下，再去经历最后一难。

唐僧师徒正在找船的时候，昔日那只老鼋又出来了。大家欢欢喜喜又一次坐上老鼋背，前往东岸。走到河中时，老鼋询问唐僧，有没有帮忙询问如来。唐僧大感惭愧，不敢开口。老鼋大怒，把唐僧师徒掀下水去。于是，通天河落水，成为即九九八十一难的最后一难。

老鼋的故事说完了，其中有个问题值得探讨。

唐僧为什么不帮老鼋询问如来？原文是这么说的："原来那长老自到西天玉真观沐浴，凌云渡脱胎，步上灵山，专心拜佛及参诸佛菩萨圣僧等众，意念只在取经，他事一毫不理，所以不曾问得老鼋年寿，无言可答，却又不敢欺，打诳语，沉吟半晌，不曾答应。"

既然是作者旁白，那应当就是唐僧心理的真实写照。唐僧历经十四年的磨难，方才到达灵山，心情之激动，可想而知。并且，到达灵山之后，遇上了不少新鲜而震撼的事情，比如凌云渡脱去凡胎，亲眼见到如来，被讨要回扣，又传了无字真经，等等。唐僧确实应该是太激动、太忙了，完全可能忘掉老鼋的嘱托。

当然，还有一个重要的原因，就是老鼋太草根，没背景。

这老鼋世世代代居住在通天河，也不知道过了几千几万年。老鼋算是家族中天资最高的奇才，竟然勘破本根，养成灵气，迈入了修仙之途。可惜，他毕竟是草根出身，没有高人指点，更没有高明的修仙功法，于是，虽苦苦修炼了一千三百年，开启了灵智，能够说人话，可是连化形级别也没有进入。

一千三百年是什么概念？也就是说，这老鼋比孙悟空、牛魔王修炼的时间都要长，可是，人家一个在三界号称齐天大圣，一个在西方号称大力牛魔王，都是跺跺脚天下震动的大人物。而老鼋呢，依然只是通天河中的一只龟，并且只是一只法力低微，连自保之力都没有的龟。

书中说："那妖邪乃九年前海啸波翻，他赶潮头，来于此处，仗逞凶顽，与我争斗，被他伤了我许多儿女，夺了我许多眷族。我斗他不过，将巢穴白白的被他占了。"老鼋混得很惨，不但自己辛辛苦苦修建的家被抢走了，连妻子儿女都被金鱼精给抢走了。老鼋找不到帮手，也不知道去何处投诉。九年间，这老鼋一直躲在通天河的某个角落，默默流泪，默默等待。

幸亏，唐僧师徒来到此处。幸亏，金鱼精和取经团队发生了冲突。否则，估计老鼋到死也回不了自己的家。

若这老鼋是某个天尊、某个大仙的坐骑，有了一重新的身份，再拜托唐僧的话，唐僧即便再忙，也会帮忙询问如来。

关键问题不在出身如何，而是如何处事，如何待人接物。所谓细节决定成败，眼光决定未来，是很有道理的。

通天河老鼋有哪些地方做得不够好呢？

第一个，贪婪。

老鼋突然出现，并主动提出背唐僧过河时，孙悟空有点不放心。老鼋于是赌咒发誓说："我若真情不送唐僧过此通天河，将身化为血水！"见老鼋发如此毒誓，孙悟空笑了，师徒一起走上前去。唐僧提出，站在鼋背上恐怕不平稳。老鼋说："师父放心，我比那层冰厚冻，稳得紧哩，但歪一歪，不成功果！"

老鼋为何要背唐僧过河呢？老鼋亲口说："今蒙大圣至此搭救唐师父，请了观音菩萨扫净妖氛，收去怪物，将第宅还归于我。我如今团霖老小，再不须挨土帮泥，得居旧舍。此恩重若丘山，深如大海。"

若按照老鼋自己的说法，背唐僧过河是为了报恩，在到达对岸后，老鼋本应该就此告别。若是这样，唐僧师徒在往后回忆起老鼋来，也会念它的好。

可是，老鼋却额外提出了一个要求："万望老师父到西天与我问佛祖一声，看我几时得脱本壳，可得一个人身。"

老鼋这个要求看似寻常，其实很过分。老鼋不过是通天河中一个还未修成人身的小妖，却希望唐僧能在西方佛老如来面前帮他传话，不可谓不贪心。

第二个，功利心太重。

我们仔细看老鼋的行为，就可以发现，它当初再三表示要报恩，都是为了最后提要求。并且，数年后，当听说唐僧忘了提他的事情时，他大怒。原文说："老鼋即知不曾替问，他就将身一幌，唿喇的淬下水去，把他四众连马并经，通皆落水。咦！还喜得唐僧脱了胎，成了道，若似前番，已经沉底。"

老鼋这个妖，功利心太强。对自己有用的时候，自己恨不得装孙子，赌咒发誓讨好对方。对自己没用的时候，招呼也不打一个，立刻翻脸。幸亏唐僧已脱去凡胎，否则这下子非得呛个半死。

第三个，眼光太浅。

正因为贪婪、功利心太重，所以老鼋看问题的眼光很短浅。

本来，因为忘记了承诺，唐僧心中有愧。若此刻，老鼋能够表现得稍稍大度一些，唐僧必定感恩，以后必然找机会询问如来。即便如来不出手，以唐僧功德佛的身份与神通，难道还不能度一只龟成仙？若能够因此搭上唐僧、孙悟空这二仙，老鼋以后在仙界还不要风得风、要雨得雨？

并且，唐僧师徒为何恰巧就落在了通天河附近？可见，观音与如来其实都注意到了这老鼋。让老鼋渡唐僧师徒再过通天河，或许就是对老鼋的一次试炼。若成功通过，老鼋就极有可能被佛派吸纳，不但可以修成人身，并且可能拥有正式的仙界编制。要知道，观音的南海中就有一只负责保管玉净瓶的万年老龟。

可惜，那老鼋空有小智慧，却没有大胸襟，最终把自己的前途给葬送了。

第九节　悟空画圈

离开通天河没多久，唐僧师徒就来到了金兜山。金兜山下，唐僧走得饿了，让孙悟空去化斋。孙悟空交代了师父，嘱咐了沙僧，临别时还不放心。原文说：

“行者转身欲行，却又回来道：‘师父，我知你没甚坐性，我与你个安身法儿。’即取金箍棒，幌了一幌，将那平地下周围画了一道圈子，请唐僧坐在中间，着八戒、沙僧侍立左右，把马与行李都放在近身。”

孙悟空在地上画了一个圈，然后请唐僧、猪八戒、沙僧、白龙马进入圈内。

那么，孙悟空的圈子有没有用呢？

孙悟空说有用。“老孙画的这圈，强似那铜墙铁壁，凭他什么虎豹狼虫，妖魔鬼怪，俱莫敢近。但只不许你们走出圈外，只在中间稳坐，保你无虞；但若出了圈儿，定遭毒手。千万千万！至嘱至嘱！”

在孙悟空口中，自己画的圈子有着强大的防御效果，别说一般的虎豹豺狼，即便是有修行的妖魔鬼怪，也不敢靠近。

可是，猪八戒却说，孙悟空画的圈子纯粹是在骗人。

唐僧久等孙悟空不回，心中有些焦躁。此刻，猪八戒笑着说：“知他往那里耍子去来！化什么斋，却教我们在此坐牢！”八戒向来有些小聪明，说话最能揣摩唐僧心思。取经以来，唐僧对孙悟空最大的怨恨处，其实并非孙悟空打杀无辜人类，而是对师父的不尊重。八戒说，孙悟空不是去化斋了，是玩去了。自己去玩也就罢了，竟然还耍弄师父，让师父在此处坐牢。

唐僧听了，心中自然不是滋味，立刻追问。

猪八戒说：“师父，你原来不知。古人划地为牢，他将棍子划了圈儿，强似铁壁铜墙，假如有虎狼妖兽来时，如何挡得他住？只好白白的送与他吃罢了。”

猪八戒是怎么评价孙悟空画的圈子呢？

第一，说出孙悟空的用心。他之所以画圈子，说什么强似铜墙铁壁，其实只是要限制师父的行动，就如古代“划地为牢”一般。

第二，圈子根本没用。若是虎狼妖兽来攻打，圈子根本挡不住，他们只能是死路一条。

唐僧耳根子软，一听觉得猪八戒说得很在理。他一直最讨厌的就是被孙悟空控制，于是赶紧追问八戒解决的方法。

猪八戒说："此间又不藏风，又不避冷，若依老猪，只该顺着路，往西且行。师兄化了斋，驾了云，必然来快，让他赶来。如有斋，吃了再走。如今坐了这一会，老大脚冷！"

猪八戒也知道沙僧是站在孙悟空一边的，于是，暂时把批判的矛头对准圈子，而非孙悟空。他的意思是，待在圈子里，不但不能防御妖魔，而且不能避风雨，太冷了。而孙悟空飞得快，即便他们先走，孙悟空也能追来。

就这样，唐僧一行人走出了孙悟空的圈子。

那么，孙悟空画下的圈子，究竟是有莫大神通，还是全无法力，纯属孙悟空装腔作势、欺骗良善呢？

在 1986 年央视版电视剧《西游记·三打白骨精》故事中，曾经有一个细节影响了很多人。孙悟空临行前画了个圈子。白骨精变成美女后，想要靠近唐僧，可是一踏上圈子，便红光乍起。白骨精就被吓退，再不敢靠近。

在这版电视剧中，孙悟空画下的圈子，是有效力的。可是，在原著中，孙悟空是在走到金峣山才画下第一个圈子，并且，画出圈子后，没有一个妖怪主动靠近。因此，这圈子有没有神通，不得而知。

但是，结合唐僧取经一路的经历看，孙悟空画下的圈子，确实具有防御妖魔的效力。

这是怎么一回事呢？

综观唐僧取经以来遭遇的种种劫难，总体可以分成三大类。

第一类是主动抓捕唐僧，破坏取经行动的。

第二类是取经团队（主要是唐僧或孙悟空）故意招惹妖魔或往人家枪口里撞招致的。

第三类不是要抓唐僧，而是或要展现本领，或要作为试练的。

我们简单回顾一下取经团队此前遭遇的主要劫难。

一是唐僧离开长安第一难，胡乱行走，踏入寅将军的陷阱被抓。这属于第二类。

二是蛇盘山小白龙吃掉唐僧的白马，他的目的是要变成白马，加入团队。这属于第三类。

三是观音禅院中，孙悟空刻意显摆，拿出唐僧袈裟，引发观音禅院火灾，招来黑熊精偷窃。这属于第二类。

四是高老庄孙悟空主动要求降魔，与猪八戒赌斗。这属于第二类。

五是黄风岭虎先锋巡山，撞上唐僧一行，抓走唐僧。这属于第一类。

六是流沙河沙僧来抓唐僧，不过，沙僧的目的是展现本领，并非真的要谋害唐僧。这属于第三类。

七是四圣试禅心，黎山老母、观音诱试唐僧一行。这属于第三类。

八是五庄观孙悟空偷吃人参果，推倒人参果树，惹怒镇元大仙。这属于第二类。

九是白骨精为了吃唐僧肉得长生，主动抓捕。这属于第一类。

十是唐僧追寻宝塔金光，走入波月洞中被抓。这属于第二类。

十一是平顶山金角大王宣言要抓捕唐僧，其实是奉太上老君之命下山，充作一难。这属于第三类。

十二是乌鸡国中佛派夜游神派真国王冤魂前往求见唐僧，请其出手相助。孙悟空主动来斗假国王青狮精。这属于第三类。

十三是号山火云洞红孩儿变成小孩诱捕唐僧。这属于第一类。

十四是黑水河小鼍龙变成船夫，人家不愿意渡唐僧，是沙僧、猪八戒硬要上人家的船。这属于第二类。

十五是车迟国斗法，这是佛道高层指定孙悟空完成的一次试练，令其必须消灭虎、羊、鹿三仙。这属于第三类。

十六是在通天河旁陈家庄时，孙悟空、猪八戒主动答应顶替做童男童女，去降伏妖怪。因此，金鱼精还曾质问猪八戒，为何冒名顶替，坏他的好事。自然，这属于第二类。

以上十六次主要劫难中，属于第一类的三次，属于第二类的七次，属于第三类的六次。

也就是说，孙悟空已经敏锐地发现，一路走来，取经团队遭遇的最主要劫难，来自他们主动招惹的祸事或者高层安排的试练。

孙悟空很忙，既要管上阵降妖，又要管唐僧的伙食，于是经常外出。而一旦孙悟空离开，取经团队的战斗力就直线下降。

或许有读者会说，孙悟空走了，不是还有猪八戒、沙僧吗？我们此前分析过这个问题。一来，八戒、沙僧的主要任务分别是挑担和牵马；二来，两人作为卧底，都背负上级交给的特别使命。他们只要完成隐形任务，不必降妖，也可以修成正果，顺利交差。

因此，孙悟空画上圈子，让唐僧别乱走，看起来是虚张声势，其实是对取经路上安保环境做出的一个精准判断。

大家看明白了吧，唐僧只要不乱走，取经其实是挺安全的。

可惜，人算不如天算。孙悟空交代了唐僧，嘱咐了沙僧，唯独没叮嘱猪八戒。最后八戒泼猴哥脏水，把唐僧带进了妖怪巢穴。

第十节　自投罗网

取经路上，唐僧师徒遭遇了许多磨难，遇上了各种妖怪。在一般情况下，都是妖怪们听闻吃唐僧肉可以长生，于是想方设法来抓唐僧，或者强行围捕，或者施展变化将其掳走。可是，在金㟧山前，青牛精根本就没有出洞，唐僧、猪八戒、沙僧却乖乖走入魔窟，沦为阶下囚。

这是怎么回事呢？是经验不足，辨析能力不够吗？

有一句老话，叫作“吃一堑，长一智”。唐僧师徒四人一起经历了无数风波，已经积累了丰富的作战经验。在各种经验中，最应被唐僧重视的，应该是听取孙悟空的意见。原因很简单，孙悟空有一双可以看破妖怪变化的火眼金睛。有孙悟空的指点，可以避免许多不必要的灾祸。

在孙悟空加入队伍之初，师徒之间因为地位不同、观念不同，有过一段不太愉快的时光。后来，孙悟空、唐僧携手言欢，一笑泯恩仇，熬过了磨合期。可以说，越是接近灵山，唐僧心中的天平越偏向孙悟空。

可是，在金岘山前，孙悟空明明提醒了唐僧，前方“凶云隐隐，恶气纷纷”，不是什么好地方，千万不要去。可是，唐僧却依然前往，最终落入魔掌。这是为什么呢？

首先，都是肚子惹的祸。

当时已经是严冬天气，下着大雪，唐僧师徒早早出发，已经走了大半天。唐僧说：“徒弟啊，这一日又饥又寒，幸得那山凹里有楼台房舍……且去化些斋饭，吃了再走。”

人是铁，饭是钢，一顿不吃饿得慌。取经路上绝大多数地段，都是渺无人烟的荒山野岭。唐僧有一个皇帝给的紫金钵盂，可以装一大碗饭，看起来挺多，但那可是唐师父一天的口粮。至于孙悟空师兄弟，平常都是忍饥挨饿，十天半月什么都不吃。这也是猪八戒一到可以借宿时，就大吃特吃的原因。

听说前方有危险，唐僧表态：“既不可入，我却着实饥了。”自己可以不到前方楼台去化斋，但是肚子问题必须解决。

于是，孙悟空提出自己去化斋。临行前，他拿出金箍棒，在地上画了一个圈，要求唐僧务必待在圈子内。

可是，孙悟空这一去很久，唐僧的肚子一直在咕咕叫。唐僧没有选择继续忍耐，而是顺从了肚子的欲望。这是师徒们陷入危机的最重要原因。

其次，猪八戒的挑拨。

猪八戒一直不满孙悟空指手画脚。只要有机会，他必定在唐僧面前抹黑孙悟空。

猪八戒非常善于揣摩师父的内心。

孙悟空走后，唐僧开始时很安静，坐在那里念经。时间一久，唐僧等不了了。他起身眺望说：“这猴子往那里化斋去了？”

一见如此，猪八戒立刻明白，师父心中已经对大师兄起了怨念了。按照筋斗云那速度，就算是五千里外化缘也该回来了。师父肯定在想，这猴子为何迟迟没回来呢？莫非又在涮我？

猪八戒笑笑说：“知他往那里耍子去来！化什么斋，却教我们在此坐牢！”

孙悟空明明只是让他们坐在圈子中，猪八戒却说是坐牢。坐牢那可就是囚犯。唐僧一听，立刻不高兴了，追问此话何解。

猪八戒就说：“师父，你原来不知。古人划地为牢。”唐僧博古通今，自然明白“划地为牢”的典故。可是，猴子不是说他的圈子很牛，可以抵挡豺狼虎豹吗？

猪八戒却说，圈子根本没用，豺狼虎豹若来，只是白送给人家吃罢了。

猪八戒这个“污蔑”颇有效果。事实上，唐僧师徒待在圈内，根本不觉得圈子有何奇特。唐僧师徒走出圈子时，圈子也没有发生任何异变。

更何况，猪八戒提出的方案貌似可以解决唐僧的肚子问题。

他说：“此间又不藏风，又不避冷，若依老猪，只该顺着路，往西且行。师兄化了斋，驾了云，必然来快，让他赶来。如有斋，吃了再走。如今坐了这一会，老大脚冷！”

他们是在山前落脚，大雪天气，山风呼啸，冷得半死。猪八戒提出，不如前行，边走边等，两不耽误。万一能自己化到斋，那不是更好吗？

唐僧一直不愿意自己过度依赖孙悟空，那样会严重损害做师父的尊严与威信。于是，他自作主张出了圈子。

最后，青牛精的幻境颇有针对性。

青牛精早就知道唐僧师徒四人各自的经历，对他们的性情了如指掌。他幻化的庄园，颇有针对性。

唐僧师徒来到庄园前时，猪八戒首先走入。

整座庄园鬼气森森，猪八戒并不害怕，只是当作一座亡灵之宅。走遍整座宅院，猪八戒找到了三件纳锦背心。纳锦乃是苏绣的一种，非常珍贵。猪八戒虽曾贵为天蓬元帅，但也没有穿过这种背心。

猪八戒告诉唐僧、沙僧说："此时天气寒冷，正当用处。师父，且脱了褊衫，把他且穿在底下，受用受用，免得吃冷。"八戒与唐僧不同，就算猴子化斋回来，他也是吃不到饭的。御寒，是他与沙僧最为迫切的问题。

唐僧的品性还是不错，连忙劝阻，说："公取窃取皆为盗。"万一被人发现，那可就不好了。唐僧只是想在廊檐下避风处坐坐，等候孙悟空到来。

猪八戒却不管，他说："四顾无人，虽鸡犬亦不知之，但只我们知道，谁人告我？"唐僧反驳说："你胡做啊！虽是人不知之，天何盖焉！”虽然无人看见，但是老天看得见。在唐僧看来，上天还是值得敬畏的。

唐僧这番话貌似有理，但在猪八戒看来，都是浮云。什么神目如电，什么举头三尺有神明，他老猪就是天神下凡。当年老猪敢大闹斗牛宫，如今还会怕偷穿一件衣服？

任凭唐僧如何劝说，猪八戒还是穿上了背心。一旁的老沙竟然也不听唐僧劝，也挑了一件穿上了。

没想到两人刚刚穿上背心，那背心就化为绳索，将他们的手脚牢牢捆上。唐僧连忙去解。只是，这背心乃是法宝，凡人怎能解开？

这一回的回目有些晦涩，叫作“情乱性从因爱欲　神昏心动遇魔头”。如何理解呢？简单来说，就是唐僧师徒之所以会被抓，是因为有了爱欲，因为神昏心动。

佛家讲贪、嗔、痴为三毒，道家以贪、嗔、痴为三尸。无论称呼如何，贪、嗔、痴都是修行者大忌。

唐僧师徒自投罗网，陷入魔窟，就是因为犯下贪、嗔、痴。

在这起事件中，谁代表“贪”？

对于某种事物非得到不可，否则，心不甘、情不愿，即为贪。

唐僧让孙悟空远去化缘，让自己身陷险地，都源自对口腹之欲的念念不忘。若非唐僧的贪念，孙悟空不会离开，若有孙悟空在旁提醒，猪八戒就不会胡言，当然就不会落入妖怪陷阱。

谁代表“嗔”？

嗔，是说没有如意就发脾气，处事不理智。

孙悟空飞到一千里外一户人家化缘。孙悟空自我介绍说，自己是东土大唐前往西天取经的和尚，师父饿了，前来化缘。那老人一听就起了疑心，因为西方大路距离他家有一千里之遥。任凭孙悟空再三解释，老人因未见孙悟空的神通，只当是和尚胡扯，根本不相信。

孙悟空强要化缘，老人发怒，拿起拐杖就打孙悟空。孙悟空边挨打边说："一杖一升米，慢慢量来。"见打了七八下，孙悟空依然笑容灿烂，老人以为遇上了妖怪，丢掉拐杖，关起大门。

既然人家坚决不肯布施，孙悟空本该转身离去。可是，孙悟空施展隐身术，跑到人家厨房，直接从锅里挖了满满一钵盂饭，说也不说，就飞走了。

孙悟空强行化斋，与抢无异。这不但不会与老人结下善缘，反倒会让老人一家厌恶佛派。

谁代表了"痴"？

所为"痴"，就是是非不明，善恶不分。

孙悟空画下圈子，本是一番好意，可是在猪八戒一番歪理辩驳下，反倒成了居心不良。进入庄园，猪八戒不告而取，就是盗贼，而且他明明知道有错，依然不改。

当然，并非说唐僧就不嗔，孙悟空就不贪，沙僧就不痴。其实，唐僧师徒四人各个都未能斩却"三尸"。不但是他们，就连西游世界的各界仙神，虽表面上法力通天，修为高深，但其实同样欲念深重。

第十一节　最强妖王

如果要问谁是西游世界综合实力最强的妖王，多数人会想到金翅大鹏雕和九灵元圣。不可否认，这两位都是西游世界屈指可数的强大妖魔。可是，若论起综合实力，他们都够不上最强。

可称为最强的，毫无疑问，是金峣山金峣洞的独角兕大王，即太上老君的坐骑青牛精。

青牛精本身就具有超强的武艺，加上拥有西游世界中超一流法宝金刚琢，可以说，他横行三界，基本无仙敢挡。

先看青牛精的武艺。原文说："他两个战经三十合，不分胜负。那魔王见孙悟空棍法齐整，一往一来，全无些破绽，喜得他连声喝采道：'好猴儿，好猴儿！真个是那闹天宫的本事！'这大圣也爱他枪法不乱，右遮左挡，甚有解数，也叫道：'好妖精，好妖精！果然是一个偷丹的魔头！'二人又斗了一二十合。"

从此处看，青牛精的武艺，当和孙悟空平手无疑。

西游故事写到本回，能与孙悟空在武艺上打成平手的仙人、妖怪已经有五个——二郎神、黑熊精、黄风怪、黄袍怪（奎木狼）、青牛精。

这样看来，青牛精的武艺并不怎么高强啊，怎能称为最强呢？

只因为，《西游记》的作者吴承恩，对孙悟空这个角色实在太喜爱了。在他的笔下，整个西游世界，武艺方面修炼到孙悟空这个级别，就已经到顶了。大家可以注意，整个三界中，在武艺上击败孙悟空的，一个也没有。

有人会说，不对，镇元大仙就两次击败孙悟空。镇元大仙确实两次擒拿孙悟空、猪八戒等人，但靠的都是乾坤袖，而非武艺。

第一次，镇元大仙是略挡了两三招，就施展乾坤袖；第二次，孙悟空师兄弟三人抢先冲上去乱打，打了将近一个小时，镇元大仙看武艺无法取胜，再次施展乾坤袖，将三人擒拿。

孙悟空+猪八戒+沙僧是不是就很强呢？不一定。在后文孙悟空大战牛魔王的时候，就可以看出这点。孙悟空独斗牛魔王，双方不分胜败；猪八戒来了，与孙悟空双战牛魔王，牛魔王依然可以打个平手。取经路上猪八戒表现出的常规战斗力，不及孙悟空的二十分之一，甚至在很多时候，可以忽略不计。

也就是说，在武艺方面，青牛精已经修炼到了巅峰。

更重要的，是青牛精手上有一件公认的三界顶级法宝金刚琢。金刚琢凭什么成为公认的三界顶级法宝呢？

金刚琢的第一次亮相就非常精彩。

“青牛精看武艺上不能取胜，一挥手叫小妖齐上。行者公然不惧，只叫：‘来得好，来得好！正合吾意！’使一条金箍棒，前迎后架，东挡西除，那伙群妖，莫想肯退。”

孙悟空单挑实力强劲，群战能力更强。当年大闹天宫的时候，孙悟空独自一人挑战二十八宿，成功击败之。之后，孙悟空独自一人挑战九曜群星，九曜群星溃败。我想，这一个是孙悟空的主角光环，另一个也是棍法的特性——棍扫一大片嘛！

可是，孙悟空发现，青牛精手下的小妖并非垃圾货色，各个都挺强。于是，孙悟空内心焦躁，把金箍棒一抛，大喝一声："变！"金箍棒不愧是如意神兵，变成千百条金箍棒乱打。那群小妖顿时吓得魂飞魄散，纷纷逃跑。原文说：

"老魔王唏唏冷笑道：'那猴不要无礼！看手段！'即忙袖中取出一个亮灼灼白森森的圈子来，望空抛起，叫声：'着！'唿喇一下，把金箍棒收做一条，套将去了。"

孙悟空失去了兵器，战斗力大大下降。原文说：

"话说齐天大圣，空着手败了阵，来坐于金㟮山后，扑梭梭两眼滴泪，叫道：'师父啊！指望和你：佛恩有德有和融，同幼同生意莫穷。同住同修同解脱，同慈同念显灵功。同缘同相心真契，同见同知道转通。岂料如今无主杖，空拳赤脚怎兴隆！'"

孙悟空一路走来，降妖除魔，从来都是信心满满，甚至傲气十足，但也有过两次落泪。

第一次落泪，是被银角大王以移山填海之法压得七窍喷血，差点死翘翘。等到山神把山移走，告诉他银角大王使唤山神如同仆役时，孙悟空悲叹流泪，说自己横行三界，也没有妖怪嚣张。

第二次落泪，就是本回被青牛精的金刚琢收走了金箍棒，内心慌乱，甚至产生取经无望的悲观念头。

从孙悟空落泪，也可以从侧面反映出金刚琢的强大。

之后，孙悟空四处寻访高人，帮忙解救唐僧。

第一波，托塔李天王、哪吒三太子前来助战。哪吒三太子上前打斗，没多久就使出最强神通三头六臂。青牛精抛出金刚琢，哪吒手上的六把神兵嗖嗖嗖全部被吸走。哪吒落荒而逃。

第二波，孙悟空请来火德星君，火部众仙一起施法，拿出各种火具，可青牛精一扔出金刚琢，各种火龙、火马、火鸦、火鼠，火枪、火刀、火弓、火箭，一股脑全部被金刚琢吸走。

第三波，孙悟空请来水德星君，以一半黄河之水，想要淹死妖魔。没想到青牛精把金刚琢放在洞口，那水根本不能进洞，全部都流到山下去了。

至此，孙悟空请天庭神将帮忙宣布失败。

之后，孙悟空前往西天请如来帮忙。如来说："那怪物我虽知之，但不可与你说。你这猴儿口敞，一传道是我说他，他就不与你斗，定要嚷上灵山，反遗祸于我也。我这里着法力助你擒他去罢。"

我们细品如来原话，可以发现，如来很怕青牛精，或者说很怕青牛精手上的金刚琢。因为一旦青牛精嚷上灵山，就会遗祸于如来。如来亲口承认，自己对付不了金刚琢。

后来，如来虽然派出十八罗汉拿着金丹砂跟随孙悟空去降妖，但只不过是做做样子。等到金丹砂也被金刚琢收走，降龙、伏虎两位罗汉才说出如来之前的嘱托，让孙悟空去兜率宫找太上老君想办法。

从以上金刚琢的多次表现来看，这法宝具有怎样的威力呢？

第一，吸收，几乎是无限制全面吸收。

孙悟空的金箍棒被吸收了，哪吒的六件神兵被吸收了，如来的金丹砂被吸收了，火德星君的各种火具被吸收了。我们可以看到，只要是能够灌输法力的兵器（法宝），无论是有生命的，还是没生命的，无论是多，还是少，都被金刚琢克制，都被金刚琢吸收了。

这一点，如来明白，因此他才不出手，因为一出手就是出丑。

太上老君也不无得意地告诉孙悟空：“我那金刚琢，乃是我过函关化胡之器，自幼炼成之宝。凭你什么兵器、水火，俱莫能近他。若偷去我的芭蕉扇儿，连我也不能奈他何矣。”

在《西游记》中，太上老君乃先天地而生，在没有世界之前，先有老君。而这金刚琢在太上老君幼年就已经炼成，陪伴了他无数亿万年。他明明白白地说，无论什么兵器（《西游记》原著中的兵器，包括武器和法宝），金刚琢都可以收。

第二，拒收，同样可以无限制全面拒收。

青牛精在使用金刚琢的时候，多数是用了吸收的能力，把各种兵器吸进金刚琢中的一个隐秘空间，然后转移到洞窟内。但是，在遭遇大洪水的时候，青牛精使用了金刚琢的另一种能力——拒收。使用这种能力，他可以把水火以及所有兵器全部抵挡在金刚琢的威力范围外。

太上老君手上的芭蕉扇有很多种。这次他带出的芭蕉扇，应该是级别最高的一种。这种芭蕉扇克制的不是金刚琢，而是青牛精。看原文：“老君念个咒语，将扇子搧了一下，那怪将圈子丢来，被老君一把接住；又一搧，那怪物力软筋麻，现了本相，原来是一头青牛。”

没有了金刚琢的青牛精，乖乖地被太上老君骑着，跟随主人，默默回到了天界。

书中说，是看牛的童子误吃了灵丹，导致青牛精在七年前溜下凡间。其实，那灵丹根本就是太上老君暗中给的，他就是要安排青牛精下界。

那么，太上老君为何要安排青牛精下界，他又收获了什么呢？

第十二节　青牛使命

孙悟空遍请三界仙佛，都无法降伏手持金刚琢的青牛精。正在苦恼间，降龙、伏虎罗汉转述如来法旨，让孙悟空前往兜率宫寻访太上老君，自然可以脱难。

如来的意思，自然是说，青牛精乃太上老君私自放纵下界，阻碍取经大业。孙悟空得知消息，气呼呼地上天。到达兜率宫门口，孙悟空也不通报姓名，径直闯入，看门童子慌忙阻拦，斥责孙悟空过于粗鲁。正在纠缠间，“忽见老君自内而出，撞个满怀”。太上老君出现并非偶然，必然是听到（或料到）孙悟空在宫门口喧哗，才亲自出门查看。

孙悟空把青牛精在下界如何嚣张，击败满天仙佛的事情一一告诉太上老君，然后不无责备地说：“似你这老官，纵放怪物，抢夺伤人，该当何罪？”

孙悟空偶尔也会玩心眼，耍手段，不过，总体来说，还是一个光明磊落的汉子，想说啥就说啥。相比之下，孙悟空对太上老君的批评，还算客气。

太上老君自然不会承认放纵怪物，抢夺伤人。他有人证，有物证，足以证明自己的清白。

太上老君带着孙悟空走到牛栏，看到栏中空空，童子正在打瞌睡。原文说："老君大惊道：'这孽畜几时走了？'正嚷间，那童儿方醒，跪于当面道：'爷爷，弟子睡着，不知是几时走的。'老君骂道：'你这厮如何盹睡？'童儿叩头道：'弟子在丹房里拾得一粒丹，当时吃了，就在此睡着。'老君道：'想是前日炼的七返火丹，吊了一粒，被这厮拾吃了。那丹吃一粒，该睡七日哩，那孽畜因你睡着，无人看管，遂乘机走下界去，今亦是七日矣。'"

太上老君乃三界第一仙，炼丹、炼器、传经、讲道，事务繁杂。即便出门，太上老君也未必都要骑牛。像观音出行，既可以骑狮子，也可以坐莲台，更可以闲庭信步腾云而走。太上老君的交通工具不可能比观音还少，因此，七天内用不到青牛是完全可能的。看牛、养牛乃是看守童子的责任，即便青牛走失，也与太上老君无关。

并且，原文中明白说到了青牛精走丢的原因。乃看牛童子误吃了一粒"七返火丹"，睡了七天。因童子熟睡，青牛精才下界作乱。

表面上看起来，青牛精下界，与太上老君无关。

不过，太上老君的这个解释，只能瞒过那些没有心计的人。像玉帝和如来这种精明人，是绝对不会被骗过的。因为太上老君的解释看似圆满，其实漏洞百出。

第一，既然是太上老君亲自炼制的仙丹，童子一见就立刻服下，可见仙丹之珍贵。如此珍贵的仙丹，必然装在葫芦中秘藏，怎么可能刚巧掉下一粒，并且恰巧就被看牛童子吃掉了？且这仙丹虽然有大功效，却让人沉睡七天，副作用极大。

真相只可能是太上老君故意掉落一粒仙丹，让看牛童子捡到。仙丹的副作用，则刚好成为青牛精下界掩人耳目的契机。

第二，青牛精下界的时间也有问题。天上七天，人间七年。唐僧从长安出发，走到金山时，正是七年。也就是说，青牛精恰恰是在唐僧离开长安，正式开始取经行动左右下界，于取经必经之路等候。

观音菩萨为了保障取经八十一难完成以及取经的安全性，曾经向太上老君提议借部下一用。太上老君明面上派出金角、银角大王，暗中则派下青牛精。

只因为太上老君明白，以金角、银角大王的实力，还不足以把他的意图完全表达出来。可若武艺达到巅峰且又有金刚琢在手的青牛精下界，则结果完全不同。太上老君派青牛精下界的一个重要目的是向孙悟空展现自己的实力。

从大闹天宫第一次正面撞见太上老君，并将其一推跌倒开始，孙悟空对这位三界第一仙、太上道祖缺乏必需的敬意。反观孙悟空来到灵山时，对如来却恭敬有加。为什么？

孙悟空是一个自信到自负的人，他虽然屡次经历挫败，但心中一直认为天上的神将不如他者多，胜过他者少，坚信是自己打败了天庭众仙，迫使玉帝宣召如来前来的。而如来一出手就将他擒拿，虽然他口中说如来哄了他，可在实际行动上，对如来再不敢撒泼。

简单一句，孙悟空是个崇拜拳头的人，谁的拳头硬，他就认谁当老大。

太上老君的童子银角大王虽然使用移山倒海之术将孙悟空平生第一次弄得七窍流血，身负重伤，可最终，孙悟空凭借其金刚不坏之身（孙悟空一直坚信是自己运气好，躲在了八卦炉无火的位置，才从炉中活命），击败了金角、银角大王，成为笑到最后的人。因此，孙悟空对太上老君的实力依然存疑。

青牛精就不一样了。论武艺，青牛精和孙悟空都达到了巅峰；论法宝，金刚琢一拙克百巧，无论你请什么人，无论你用什么招，金刚琢全部收走。

在亲眼见证了玉帝派出的神将斗不过青牛精，如来派出的十八罗汉也斗不过青牛精，孙悟空才意识到青牛精的强大。而太上老君仅仅两扇子，就把搅乱三界的金刚琢收走，把神通广大的青牛精逼得现出原形，更让孙悟空亲眼见证了太上老君的强大。

从此战之后，孙悟空无论是在人前还是人后，说起老君都恭恭敬敬。孙悟空这时才真正明白为何开天辟地之祖太上老君明明拥有最强的神通，却是三清中的老末；才明白如来是今世佛祖，竟然还让大鹏雕在头顶端坐。这只因，越是高强，越要低调。和光同尘，才是大神通者的处世之道。

在这时，孙悟空也明白展现出在他心中的三界高手榜单中，太上老君排第一，已经超越了如来。

太上老君一直没有对孙悟空宣布自己的真实身份，因为他明白孙悟空的性格。若是无能，即便告诉孙悟空自己就是菩提祖师，孙悟空一样不会给面子。孙悟空不就多次向唐僧挥起金箍棒吗？

孙悟空对菩提祖师为何尊敬？不仅仅是因为菩提祖师是他的授业恩师，传他修仙功法，更因为菩提祖师拥有“把你这猢狲剥皮锉骨，将神魂贬在九幽之处，教你万劫不得翻身”的超强实力。

只有让孙悟空明白太上老君的强大，太上老君再宣布自己就是菩提祖师，这才具有震慑性的效果。

第十三节　如来怕谁

悟空前往灵山向如来求助的时候，如来派出十八罗汉前往助战。如来为何派十八罗汉出战呢？

在《济公传》中，济公就是降龙罗汉转世，牛得不行。可是，在《西游记》中，罗汉只是较低级别的存在。我们前文提到，乌鸡国王因为敬重佛派，经常布施，如来于是送他一个罗汉的名额。取经路上，沙僧基本上没有什么战功，靠着牵马，就被封了一个金身罗汉。白龙马驮着唐僧走了一趟，也升级为八部天龙广力菩萨，享受副罗汉待遇。

罗汉，在《西游记》的佛派诸仙中，是倒数第二档，再下一档，就是毫无名气，等同山神、土地一流的三千揭谛了。

十八罗汉算是五百罗汉中的强者，而降龙、伏虎罗汉是十八罗汉中的强者。他们的实力，应该约等于弱一点的菩萨。而菩萨，在西游世界也不过是地仙。灵吉菩萨见到孙悟空，都得主动出门迎接，恭恭敬敬相送。

既然罗汉实力并不强，如来为何还派十八罗汉出战？

只因，与青牛精的一战，属于只许输不许赢的一战。

太上老君精心导演青牛精下凡这场大戏，观众自然不仅限于孙悟空。更多的，太上老君是表演给玉皇大帝和如来看的。

我用了很多的篇幅来叙述《西游记》中的派系斗争。严格地说，西游世界的主要矛盾并非佛道之争，因为当时佛派根本没有足够的分量和道派斗争。在三界之中，佛派真正控制的地方并不大。如来和他那许多菩萨、五百罗汉、三千揭谛都住在灵山。即便是在如来所在的西牛贺洲，也是山头林立，道派势力强大。

西游世界的主要争斗，是道派的内部争斗，即仙人之祖太上老君和三界之主玉皇大帝之间的权力斗争。

太上老君是三界仙人名义上的祖师，拥有道统上的尊位，在尊师重道的三界，地位超然。他更拥有金丹，每年召开“丹元大会”，不但可以让仙人体魄增强，突破仙人等级，更可以超越自然法则，起死回生。在他的麾下，聚拢了一大批仙界高层人物，其代表仙人就是九曜星君之太白金星。

玉皇大帝则有元始天尊、灵宝天尊的支持，更有法统上至高无上的地位。拥护玉帝者，不但可以获得仙界编制，更可以得到品尝三界奇宝蟠桃的好处。蟠桃的效果虽然不如老君的金丹，但贵在产量大，可以照顾到大多数仙人的利益。因此，在玉帝的麾下，也聚集了一大批实力派仙人，代表人物就是二十八宿之奎木狼。

因为种种原因的限制，太上老君在争斗中不能直接出手，玉帝自然也不能轻易翻脸。因此，玉帝选择了重点扶持远离天庭的人界西方佛派，作为对抗太上老君的重要棋子。

如来的聪明，绝对不在玉帝、太上老君之下。他敏锐地发现了玉帝抬高佛派地位的用意（比如举办超越人臣规格的安天大会）。如来既要当好一枚棋子，借此从玉帝手中换取最大的回报，又不甘心当一枚棋子，以免与太上老君派翻脸，成了玉帝的炮灰。

因此，在安天大会不久，如来就筹划取经行动，并且很快付诸实施。取经行动，其实就是一场谋求佛派最大利益的行动。

为了笼络如来，玉帝不得不答应取经行动，并且表态支持观音的“叫天天应，叫地地灵”，要求三界仙人都必须支持取经。不过，在提供实际帮助的时候，玉帝并不热心，也没有出全力。我们可以看到，无论孙悟空遇上什么困难，天庭真正的高手——“八极”以上的仙人几乎无一出手。

与青牛精一战，天庭派出的都是寻常仙人。如来可以看出青牛精的真面目，难道玉帝就不能？玉帝身边可是有一个能听遍三界的顺风耳（等同地藏的谛听），看遍三界的千里眼（等同如来的慧眼）。

玉帝早就知道青牛精与太上老君的关系，可他就是不说破。玉帝的目的，就是要将祸水西移，让如来与太上老君对着干。

如来当然不会做炮灰。孙悟空不清楚太上老君的实力，如来怎能不清楚？因此，他在派出降龙、伏虎罗汉时，就暗中交代，输了之后就告诉悟空真相。

那么，若如来亲自出手，有没有可能赢过拿着金刚琢的青牛精呢？

如来有哪些大神通？又有哪些法宝呢？

在降伏孙悟空时，如来展现出了慧眼神通和如来神掌两项绝技。

在原著第五十二回，孙悟空亲口说："我想起来，佛法无边，如今且上西天问我佛如来，教他着慧眼观看大地四部洲，看这怪是那方生长，何处乡贯住居，圈子是件什么宝贝。"

待孙悟空见到如来，"如来听说，将慧眼遥观，早已知识"。

从以上两处文字可以推知，如来的慧眼看得极远，不但看得远，而且具有一定的破幻神通，认出了青牛精的本相。

如来的这项神通其实并不是三界唯一，玉帝身边的千里眼一样可以做到，而地藏王菩萨的谛听，又有类似功效。

此外，慧眼只是一项辅助性神通，虽可以知道对方来历、战力，但是并不能实际进攻对手。

如来的神掌则具有一定的攻击性，可化为五行山下压。但是金刚琢乃是一件奇宝，从开天辟地之初，就陪伴太上老君。这件宝贝为何能专克天下兵器（武器+法宝）？只因天下兵器的运用都要倚仗灵力、法力，而金刚琢既可以大幅度吸收灵力、法力，也可以完全抵御。

也就是说，如来只要一用出神掌，法力就会被金刚琢大量吸收，最终，法力耗尽。

如来手中出现过几种法宝，比如名为"金紧禁"的三个金箍，以及袈裟、锡杖，等等。但三个金箍一旦丢出，肯定会被金刚琢吸走，那袈裟、锡杖就更不用说了。

也就是说，即便如来亲自出手，那也斗不过拥有金刚琢的青牛精。

正因如此，如来才干脆派出实力一般的十八罗汉前往助阵。

此外，如来作为佛派今世佛祖，没有理由不出面助拳，他还要做出姿态给玉帝看呢。但若自己出战会丢脸，若派观音去还是丢脸，而派佛派中坚力量十八罗汉去则正好。

有人说，十八罗汉的金丹砂是如来秘藏的十八座金山，抛出金丹砂，是给太上老君交了买路钱。不管金丹砂是不是金山，十八罗汉在与青牛精的一战中落败是事实。如来没有亲自出马，也没有派出观音等强手，只是派出十八罗汉，本身就是示弱。而他的示弱，对于太上老君来说，就是示好。

如来就是要告诉太上老君，玉帝虽然挑拨我们的关系，可是我并不想和您（太上老君）对着干。

正因为如此，太上老君很爽快地答应了降妖。不过，太上老君一派和佛派是不是就此和睦相处了呢？绝非如此。在必须争夺的利益面前，如来可是寸步不让的。降伏牛魔王一战，就是明证。

第十四节　毛神可恶

在金嶢山，孙悟空化斋回来后，四处寻找了好一会都看不到师父。就在孙悟空忧心忡忡时，一个老头儿撑着个拐杖，带着个小童，从前方走来。

孙悟空正想打探情况，见到前面来人，只当是当地老人，并没有开启火眼金睛。孙悟空很客气地上前行礼，询问有没有看到唐僧一行。那老人说，看到三个和尚，其中一个长嘴大耳的，都闯入妖魔的陷阱中去了。

孙悟空耐心询问当地叫什么山，山上有什么妖怪。老人一一告之。之后，孙悟空再次行礼，口中称谢说："多蒙公公指教！"

本来，孙悟空已经要和老人告别，没想到这老人犹豫再三，竟然与小童双双下跪，口称大圣。

孙悟空再看二人，二人现出本相，原来是金嶢山的土地与山神。土地、山神表示，二人特意前来迎候大圣，还主动表示愿意帮孙悟空保存紫金钵盂和斋饭，让孙悟空方便捉妖。

土地、山神对孙悟空的态度非常恭敬，甚至可以说是刻意拍马讨好。可是，孙悟空一见对方不是人类老者，而是土地、山神，立刻就翻脸了。

孙悟空大喝说："你这毛鬼讨打！既知我到，何不早迎？却又这般藏头露尾，是甚道理？"

俗话说，伸手不打笑脸人。人家土地、山神大小也是天庭正神，与孙悟空一样有仙箓在身。见孙悟空到来，他们主动前来迎接，告诉相关情况，已经给足了孙悟空脸面。为何孙悟空对人类老者都能很客气，对土地、山神却呼来喝去动辄打骂从没好脸呢？

首先，职责有不同。

孙悟空为何对人类老者很客气？人类虽然弱小，却是取经行动要争取的对象。更重要的，人家没有义务为孙悟空、为取经行动做任何事。

土地、山神就不同了。

先不说孙悟空与土地、山神实力悬殊，孙悟空完全可以凭借武力，轻易灭杀那些土地、山神，关键是土地、山神有支持取经行动的职责与义务。

取经行动是天庭官方批准的行动。观音菩萨已经请示玉帝，玉帝也亲口批准了——叫天天应，叫地地灵。这叫地地灵，自然就包括了各地土地、山神有通风报信的职责与义务。

还有，西游世界中，如来除了掌管佛派外，在天庭还有一个身份，乃五方五老之西方佛老。这也就意味着，在西牛贺洲，无论是佛派，还是道派，仙人们都归如来统驭。金岘山的土地、山神自然也不例外。

其次，态度不端正。

看孙悟空为何斥责土地、山神？

“既知我到，何不早迎？”孙悟空是唐僧安保工作的专职负责人，是三十九位护法神的直接上司，也是取经路上沿途土地、山神的上司。及时向取经团队禀告当地妖怪情况，乃是各地土地、山神应尽的职责。眼下土地、山神虽然也汇报了情况，却有故意拖延之嫌。

若在唐僧闯入妖怪庄园之前，土地、山神就现身告诉唐僧，金岘山中有强大妖魔作祟，唐僧必定不会陷入魔掌。

“又这般藏头露尾，是甚道理？”在孙悟空面前，这些土地、山神不过是如蝼蚁一般的卑微小仙，他们竟然胆敢变成人类老者，骗得孙悟空打躬作揖，连连称谢，明显居心不良，占孙悟空的便宜。

最后，立场不坚定。

取经路上的各路妖魔大都盘踞一方许多年，和本土仙人、妖怪的关系盘根错节。对这些黑恶势力，代表天庭、代表官方的土地、山神本应该坚决地、彻底地与之对抗。事实却相反。

大部分土地、山神面对强大的黑恶势力，选择了沉默、退让。若非孙悟空念动咒语，强行召唤，一般来说，土地、山神不会主动出现。

一部分土地、山神更是直接投入了黑恶势力的怀抱，帮着黑恶势力看家护院。像平顶山、号山的土地、山神们每天给妖怪当奴仆、做杂役，乖乖听话，不敢反抗。又像车迟国的土地，只要虎力大仙给出足够的回报，他们就帮虎力大仙对付孙悟空。只有极少数的土地、山神敢于站出来和妖魔做斗争，比如火焰山的土地。

当然，土地、山神法力低微，等级仅仅是鬼仙一流，在强大的妖魔面前，他们根本没有对抗之力。但是，可怜之人必有可恨之处。土地、山神的骑墙做派，等于壮大了妖魔的嚣张气焰，在一定程度上阻碍了取经行动。像在平顶山时，山神乖乖听银角大王使唤，调来三座大山，差点就把孙悟空压死。

这也是孙悟空厌恶土地、山神的最重要原因。

面对土地、山神，孙悟空说得最多的一句话就是："伸过孤拐来，各打五棍见面，与老孙散散心！"

这句话流传很广，在西游仙界造成了极为恶劣的印象。

盘丝洞故事中，孙悟空为了打探情况，召唤土地出来问话。土地听到了咒语，却迟疑不敢出去，在地下滴溜溜打转。土地婆询问原因。土地回答说："你不知，你不知！有一个齐天大圣来了，我不曾接他，他那里拘我哩。"

土地婆催丈夫快去见孙悟空。土地解释说："若去见他，他那棍子好不重，他管你好歹就打哩！"土地婆说，孙悟空应该不会打老人吧。土地愤愤然说："他一生好吃没钱酒，偏打老年人。"

盘丝洞土地的话说得属实吗？

翻遍《西游记》，查找不到一处孙悟空棒打土地、山神的记载。孙悟空对土地、山神从来都是嘴上凶狠，实际上每次都是雷声大、雨点小。

对金峣山、盘丝洞的土地，孙悟空只是嘴上教训了一下，就放他们走了。就算对那搬来大山，把自己压得吐血的几位山神，孙悟空最后也不过是说一句"你且记打"，依然把他们放走了。

可是，孙悟空不知道，他这种处世之道、御下之术，正犯了权力场之大忌。

孙悟空是一个胆大包天、能打能战的斗士，却并非一位优秀的统帅、非凡的领袖。

身为上司，对待下属当讲究恩威并施，杀一儆百，令行禁止，赏罚分明。既然说要打，那就必须得打。并且，要师出有名，打在明处，让挨打者与围观者都看到挨打之人是为何会挨打的。如此一来，其他人才不敢再犯。

像孙悟空这样，下属有错不处罚，下属有功不奖赏，全部都稀里糊涂混过去，短时间看来，大家和和气气，很是和谐，但时间一长，就会出现大问题。

所谓“众口铄金，积毁销骨”，流言一旦铺天盖地，假的也变成真的了。

第十五节　前倨后恭

整部《西游记》中，孙悟空对玉皇大帝的态度可以分成明显的两个阶段。中间的分水岭，正是在金嶋山遭遇青牛精时。

起初，太白金星奉命招安，把孙悟空引到灵霄殿上。太白金星向玉帝恭敬行礼，汇报下界经历。孙悟空昂然不跪，直挺挺站在太白金星旁边，根本不行礼。之后，玉帝询问，何人是奉诏而来的妖仙。这时，孙悟空本当匍匐参拜，三呼万岁，行君臣大礼，以示归顺。可孙悟空仅仅略一躬身，且口称“老孙”，态度傲慢，目中无人。天庭群仙大惊失色，人人愤慨。后来，孙悟空在通明殿前，当着如来的面，叫嚣要玉帝让位，由他来做天庭之主。

可以说，在大闹天宫时代，孙悟空根本没有把玉帝放在眼中。在他的心目中，玉帝就是一个无所作为、毫无神通的昏庸之主。他完全不明白，为何三界群仙要臣服在那么一个无能之辈手中。

即便是在参加取经团队之后，孙悟空对玉帝的态度依然很嚣张。

平顶山前，为了骗取精细鬼、伶俐虫的红葫芦与玉净瓶，孙悟空谎称他毫毛所化的大葫芦可以装天。为了演好这场戏，他念咒唤来夜游神，希望夜游神禀告玉帝，帮忙装天。

孙悟空如此吩咐："即去与我奏上玉帝，说老孙皈依正果，保唐僧去西天取经，路阻高山，师逢苦厄。妖魔那宝，吾欲诱他换之，万千拜上，将天借与老孙装闭半个时辰，以助成功。若道半声不肯，即上灵霄殿，动起刀兵！"

孙悟空这番话非常无礼，一贯喜怒不形于色的玉帝也不禁着恼，痛斥孙悟空出言无状。孙悟空为何敢说玉帝若是不帮忙就打上灵霄殿呢？只因为在他看来，自己是为如来保护唐僧西去，而如来的本事远在玉帝之上。

孙悟空本就蔑视玉帝，更有如来作为后盾，他当然敢说出不听话就揍人这类充满威胁意味的话。

孙悟空为何会认为玉帝无能呢？

他的判定标准非常简单：弱肉强食，强者为尊。谁能打得过他，他就认可谁的实力。在孙悟空看来，他大闹天宫，横扫天庭群仙，是玉帝无能，对付不了他，才请来如来出手。而如来一出手，就把他压在五行山下了。

按照常理，孙悟空应该痛恨如来。因为如来，他才五百年不得自由，受尽苦楚。事实却是，孙悟空不但不恨如来，反而对如来敬畏有加。

多年来，孙悟空面见玉帝都是唱个喏，抱抱拳了事，连个称呼都没有。而提到如来时，他则一口一个"佛祖"。唯有在得知大鹏雕是如来亲戚，如来有放纵家属作恶之嫌时，孙悟空才直呼其名，笑称其为“如来”。

可是，从金岘山青牛精故事后，孙悟空对玉帝的态度完全改变。从此之后，孙悟空见到玉帝，总是恭恭敬敬行礼，一口一个陛下，一口一个天尊，公开明确玉帝与自己的君臣之分。并且，越到取经后期，他对玉帝的态度越发恭敬。到凤仙郡事件之后，玉帝的地位在他的心中更是直接飙升到如来之上。玉帝的一句话，竟然就能够让孙悟空惊恐不安、愧疚万分。

孙悟空为何会有这么巨大的变化呢？让我们细看金岘山青牛精的故事。

在黄袍怪故事中，孙悟空是气冲冲来到天庭。原文说：“那大圣一时忍不住怒发，攥着铁棒，打个筋斗，只跳到南天门上。”

孙悟空认定玉帝放纵下属，管教不严，以至于唐僧受困，因此生气，吵到玉帝面前。等到玉帝召回奎木狼，并且将其贬斥到兜率宫给太上老君烧火，孙悟空才满心欢喜，给玉帝唱了一个大喏。

因听闻青牛精了解其大闹天宫的手段，孙悟空推测出青牛精很可能是天庭神仙下界，所以来到天庭，找玉帝要人。这一次，原著中没有一个字提到孙悟空生气。事实上，孙悟空这次来到天庭，既不嚷，也不闹，更不像以往那样直接闯入，而是详细地与四大天师说明唐僧在金岘山受困的缘由，请天师代为禀奏玉帝。这是孙悟空第一次按照天庭礼仪，面见玉帝。

见到玉帝后，孙悟空快步上前，唱个大喏说：“老官儿，累你累你！”之后把唐僧受困的事情再说一遍。

在《西游记》中，有两个人被孙悟空称为“老官儿”。一个是太上老君，另一个就是玉帝。这个“老官儿”其实就是“老人家”的意思。

有读者说，孙悟空竟然称呼太上老君与玉帝为“老官儿”，这是不是太狂妄了点？恰恰相反，这种称呼，表达的是孙悟空对二人极大的敬意。

平顶山故事中，原文说：“行者仔细观看，原来是太上李老君，慌得近前施礼道：‘老官儿，那里去？’”孙悟空见到太上老君，是慌忙上前行礼，然后口中称呼“老官儿”。从孙悟空的举止可以看出，他当时对太上老君是很尊敬的。

此刻面见玉帝，孙悟空是在深鞠一躬后，口称“老官儿”，且连连说“累你”（辛苦您了），同样也是表达对玉帝的敬意。

在介绍完前因后果之后，孙悟空说：“疑是上天凶星思凡下界，为此老孙特来启奏，伏乞天尊垂慈洞鉴，降旨查勘凶星，发兵收剿妖魔，老孙不胜战栗屏营之至！”

这番话中，孙悟空虽然还是自称“老孙”，但第一次称呼玉帝为“天尊”，请求玉帝降旨发兵，承认彼此的君臣关系。末尾，孙悟空还文绉绉地说了一句“老孙不胜战栗屏营之至”。说完之后，他还觉得不妥，又鞠了深深一躬，说：“以闻。”

孙悟空这番表白已经让群仙惊讶，最后的附加动作更让四大天师心中狂笑。只因孙悟空一贯狂妄，不尊天庭礼仪，但这次上天求助，他却态度恭顺，面见玉帝的言辞一如其他臣属。

孙悟空虽伶牙俐齿，但对于官样文章并不在行。从不喜欢溜须拍马的孙悟空，此刻竟然也咬文嚼字，说什么“不胜战栗屏营之至”，还狗尾续貂地说什么“以闻”。

孙悟空为何这么做？只因他要向玉帝表态，强调自己的恭顺与敬意。

四大天师中，葛仙翁最是敢说敢为，他当众笑了出来，还质疑说：“猴子是何前倨后恭？”

要在以往，孙悟空听到人家竟然叫他猴子，必然恼恨，搅闹不休。可是这次，孙悟空连连说不敢，一点脾气都没有。

孙悟空的变化为何如此之大？

用孙悟空的原话说：“不是甚前倨后恭，老孙于今是没棒弄了。”

猴哥提出，自己如今之所以态度恭顺，只因金箍棒被青牛精的法宝吸走了。没有棒子耍弄，故不敢和以往一样嚣张了。

那么，事情真的如此简单吗？

第十六节　玉帝可畏

金箍棒是孙悟空依仗成名的武器。没有得到金箍棒前，一个籍籍无名的混世魔王就把孙悟空逼得手忙脚乱。得到金箍棒后许多年，孙悟空闯出不少祸事，可是，无论是被雷劈斧砍，还是被八卦炉火烧，抑或被压在五行山下，遭遇种种磨难时，金箍棒始终陪伴在孙悟空身边。

金箍棒对孙悟空来说，绝非单纯的武器，而像是永不分离的亲密战友，对孙悟空的武力与信心有着重大加成。金箍棒对孙悟空确实很重要，说是“一棒在手，天下我有”也不为过。

那么，孙悟空真的是因为丢了金箍棒，感觉斗不过玉帝，于是对玉帝前倨后恭、改换态度吗？

当然不是。

青牛精故事之后，是真假美猴王故事。

孙悟空与假猴王打上天庭，请求玉帝接见。孙悟空说：“万岁！万岁！臣今皈命，秉教沙门，再不敢欺心诳上，只因这个妖精变作臣的模样。”他如此如彼，把前情备陈了一遍，“指望与臣辨个真假！”

孙悟空与假猴王拉拉扯扯，吵嚷不休。见到玉帝之后，齐齐停止打斗，鞠躬行礼，口称“万岁”。那时，孙悟空手中就握着金箍棒，可是，拜见玉帝时恭恭敬敬，一点礼节不敢缺少。面对玉帝的训斥，孙悟空既没有嬉皮笑脸，更不敢出言反驳，而是带着些委屈，强调自己不敢欺心诳上，解释此次前来实在事出有因。

凤仙郡故事中，凤仙郡大旱三年，死了无数百姓，孙悟空在郡侯面前打了包票，说自己一定能求来甘霖。来到天庭，孙悟空按照程序见到玉帝。玉帝也不多话，让人把孙悟空带到披香殿。当孙悟空听陪同天师介绍了玉帝同意降雨的三个条件时，原文说：“行者闻言，大惊失色，再不敢启奏。走出殿，满面含羞。”

此时，金箍棒同样在孙悟空手中，可是，听闻情由，孙悟空竟然大惊失色，连再去见玉帝一面的勇气都没有。甚至，他为自己替凤仙郡强出头而感到深深羞愧。

从这两个故事可以看出，孙悟空敬畏玉帝绝非因为金箍棒丢失，而是另有原因。

那么，让孙悟空敬畏玉帝的真正原因是什么呢？

答案只能在青牛精故事之前寻找。

青牛精之前是通天河金鱼精的故事。其情节与大多数取经故事类似，无非是妖怪为祸一方，孙悟空出面降妖，因种种原因降妖不成，于是求助高层。

在这里引起孙悟空注意的，肯定不是与其他故事中的种种雷同，而应当是通天河故事中的特殊事件。

没错，通天河故事中确实有一个非常特殊的事件。那就是观音菩萨不梳妆。

观音为何不梳妆？若观音梳妆打扮，拖延一两个小时，对取经任务会有致命影响吗？根本就不会。南海落伽山的时间流速和人间是一模一样的。就连孙悟空也劝说观音，不用着急，梳妆后再出门也不迟。堂堂菩萨怎能不梳妆就出门见人呢？

由此可见，观音不梳妆只是为了做个姿态。这个姿态是做给谁看的？

做给百姓看的？百姓看到不梳妆的观音确实万分感动，都觉得观音心系万民，大慈大悲，于是有“鱼篮观音”画像传世。收走金鱼精后，观音本欲转身就走，是孙悟空建议观音见一见陈家庄百姓的。也就是说，观音事先并没有想让凡人看到自己不梳妆的样子。

做给如来看的？如来掌管佛派不假，但是千万不要忘记了，观音在西游世界中身兼二职：一方面是佛派第一菩萨，另一方面是天庭派驻人间的五方五老之一。也就是说，在佛派，观音居于如来之下，可若论起在整个仙界的地位，观音与如来地位相等，同为五方五老之一。

观音费尽心思谋划取经行动，与其说是为了讨好如来，完成如来交代的任务，不如说是为了扩张自己的力量，在仙界更进一步。

观音要想在仙界更进一步，需要争取的对象不是如来，而是玉皇大帝。没错，观音不梳妆，真正想要打动的是天庭之主玉皇大帝。

妖魔作乱，祸害人间，天庭诸仙都有责任将之擒拿。观音不梳妆就出行，正体现了对天规戒律的尊重。唯有尽快肃清妖魔，才能恢复人间秩序。

堂堂菩萨对降妖伏魔都如此积极，对维持三界秩序都如此尽力，孙悟空回想五百年前自己的种种狂妄，又怎能不冷汗直流？

通天河故事再前是车迟国、红孩儿故事。在这两个故事中，有一个共同事件——龙王求雨。

起先，孙悟空觉得求雨只是一件微不足道的小事。以他的神通，随便命令一个龙王就可以下场好雨了。可是，事实一再提醒孙悟空，现实很残酷。

就算是小小的求雨事件，也是戒律森严。就算有孙悟空铁棒逼迫，东海龙王、四部仙人也不敢触犯天规戒律。

虽然说孙悟空最终还是求来了雨，也在赌赛中赢了对方，可是，孙悟空一次又一次地见识到了天规戒律的严苛，见识到了群仙畏惧的源头——不是孙悟空，而是玉皇大帝。

还有，从跳出五行山后，孙悟空踏上取经路，亲眼见证了许多以前无法想象的事情。

在孙悟空看来，天庭群仙都不如他，唯独二郎神还行。可是，事实证明，孙悟空想得太简单了，甚至可以说孙悟空完全想错了。

猪八戒本是天蓬元帅下界，与孙悟空大战六七个小时不分胜败，无论是武艺还是遁术，都不逊色于孙悟空。沙僧是天庭卷帘大将，其水战、陆战功夫又与猪八戒不相上下。

如果说这两位在大闹天宫时期没有和孙悟空直接交手，不好比较，那么，换个对象比较一下。比如波月洞的黄袍怪（奎木狼）。在孙悟空心目中，二十八宿都是被他打怕了的神仙。想当年他以一条金箍棒，就把二十八宿一群仙人打得屁滚尿流。

可是，波月洞前一交手，孙悟空吃惊了。这黄袍怪在金丹被孙悟空偷吃、实力有损的情况下，竟然还与孙悟空大战五六十个回合不分胜败。这说明什么？

这说明当初花果山前大战，只要黄袍怪（奎木狼）一人，就可以拖住孙悟空。所谓孙悟空大败二十八宿、九曜群星，乃是一场骗局。

平顶山故事中银角、金角大王的表现，更让孙悟空惊心。想当年，孙悟空就连太上老君也没放在眼中。那老头儿，猴哥一伸手就可以推他一个四仰八叉，更不要说兜率宫其他门人了。

可事实呢？人家兜率宫烧火的童子就可以把孙悟空整得吐血，

比拼武艺也不过是略逊一筹。若非孙悟空用了各种坑蒙拐骗的手段，盗取了人家的宝贝，鹿死谁手，还未可知。

取经路上孙悟空遭遇了许多天庭仙人。这些仙人大都神通广大，远非大闹天宫时期可以相比。正是这种种差异，让孙悟空渐渐明白了一个道理——天庭群仙中藏龙卧虎，绝不可小视。

而让万仙敬畏的天庭之主玉皇大帝，也绝非只是活得长那么简单。

懂得了敬畏天庭，意识到了玉皇大帝的强大，才是孙悟空对玉皇大帝改变态度的真正原因。

第十七节　青牛磊落

西游世界中，纵横人间、食肉寝皮的妖魔，大都心机深重，品性恶劣，凶狠强大到让人恐惧的很多，具有人性光辉、让人喜欢的极少。而金兜洞的青牛精，堪称西游世界最仗义豪情、最光明磊落的妖王。

为何这么说？

面对名震三界的齐天大圣，青牛精昂然不惧，不卑不亢，颇有大家风度。

孙悟空得土地指点，来到金兜洞前，厉声高叫：“那小妖，你快进去与你那洞主说，我本是唐朝圣僧徒弟齐天大圣孙悟空，快教他送我师父出来，免教你等丧了性命！”

当年，孙悟空因三打白骨精被唐僧赶走时，曾经嘱托沙僧、猪八戒，遇到妖魔就提他齐天大圣的名字。这可绝非孙悟空托大。人间妖魔真正强大的，无一没有仙界高层的背景。若非有高层依仗，他们也修行不到妖王境界，更无法独霸一方。而这些妖魔，自然都知道大闹天宫，也都知道齐天大圣孙悟空的厉害。

我们细看孙悟空一路走来所遇到的妖魔，在听闻孙悟空名头时，第一反应几乎没有不是悚惧害怕的。猪八戒如此，黄风怪如此，沙僧如此，奎木狼如此，银角大王如此，灵感大王如此。走过金㕙洞之后，狮驼岭上吃人无数的狮魔、象魔还是如此。

当然也有例外。比如地仙之祖镇元大仙，他辈分极高，且有超强法宝护身，起初并不把后生晚辈孙悟空放在心上。可是一番大战后，他也不得不亲口承认：“我也知道你的本事，我也闻得你的英名。”比如号山的红孩儿，他听了孙悟空的介绍也只是冷笑。这只因红孩儿乃是西方群妖大佬之子，从小过的就是众星捧月的生活。在他心目中，牛魔王是天下第一，他自己是天下第二。别说孙悟空，就是观音菩萨，他也不放在眼中。

青牛精呢？他既不像镇元大仙那样因辈分高而俯视群仙，也不像红孩儿那样因年少轻狂而无知。他虽然没有亲眼见证孙悟空的神通，但是对孙悟空的种种光辉事迹一清二楚。

在真正了解孙悟空之后，青牛精不但不害怕，反而满心欢喜。原文中青牛精心里说：“正要他来哩！我自离了本宫，下降尘世，更不曾试试武艺。今日他来，必是个对手。”

原来，这青牛精颇有武人之风。他也不管什么身份地位，什么派系纠缠。他追求的，是武道的至高境界；他渴望的，是与孙悟空公平一战。

孙悟空上门讨要师父，青牛精宣布唐僧罪状，说出释放要求，可谓光明磊落。

和以往妖魔主动出手抓捕唐僧不同，青牛精并没有出洞府，是唐僧、猪八戒、沙僧心生贪念，闯入他的山庄，偷走他的衣服，因此才会被抓。

孙悟空上门讨要时，青牛精不遮不藏，公开说："你师父偷盗我的衣服，实是我拿住了，如今待要蒸吃。你是个什么好汉，就敢上我的门来取讨！"

虽然说青牛精有设局诱骗之嫌，但苍蝇不叮无缝的蛋，唐僧之所以中招，根子源自自身。

孙悟空不相信，说唐僧是忠良正直的和尚，绝不会偷盗。青牛精很耐心地把事情经过叙述完，强调自己是人赃并获，因此才抓了唐僧。

换言之，青牛精抓捕唐僧，乃是合法守护自身财产。唐僧、猪八戒、沙僧的行为等于入室行窃，还被抓了个现行。即便是闹上灵山，由如来评判，道理也在青牛精一边。

孙悟空听了，也只能哑口无言。

就在双方陷入僵局时，青牛精提出："你今果有手段，即与我比试，假若三合敌得我，饶了你师之命；如敌不过我，教你一路归阴！"

青牛精没有揪住唐僧的小辫子不放。他真正在乎的，并不是那几件纳锦背心。他也从来就没想过吃唐僧肉，以他太上老君坐骑的身份，肯定有不少机会吃到九转金丹，那效果可比区区唐僧肉要强力太多。

青牛精真正在意的，是与孙悟空堂堂正正一战。

孙悟空也是一个好斗分子，一听青牛精的要求，大喜。两人就斗在一处。

孙悟空与青牛精几番大战，各展手段，始终平手，两人顿生英雄相惜之情。

孙悟空一直都是一个眼高于顶的猴子，要得到他的佩服，千难万难。可是，金峨山前，孙悟空与青牛精一个使棒，一个使枪，打斗四五十回合不分胜败。原文说：

“那魔王见孙悟空棍法齐整，一往一来，全无些破绽，喜得他连声喝采道：‘好猴儿，好猴儿！真个是那闹天宫的本事！’这大圣也爱他枪法不乱，右遮左挡，甚有解数，也叫道：‘好妖精，好妖精！果然是一个偷丹的魔头！’”

孙悟空为何说青牛精是偷丹的魔头呢？

估计这是作者无意中写漏了，也可能是作者故意如此写的。在后文太上老君介绍说，是看牛的童子无意中捡到了一枚仙丹，吃下之后睡了七天。这仙丹从何而来？从“偷丹的魔头”可以推测，应当是青牛精从太上老君处偷来，又故意丢在牛栏外，让看牛童子服下，自己趁机逃离下界。

见打斗许久，拿不下孙悟空，青牛精挥手让小妖围上。孙悟空自然不惧，把金箍棒一抛，变成千百条打下。众小妖不能抵挡。在此时，青牛精使出金刚琢，将孙悟空的金箍棒收走。

既然是赌斗，那么既是比拼武艺，也是比斗法宝。孙悟空可以用金箍棒一化万千之法，青牛精自然也可以用金刚琢将万棒归一。

之后，孙悟空上天请来托塔天王、哪吒、火德星君、水德星君、雷公、电母等仙人。最终，万千兵器都被金刚琢一并收走。

在万般无奈之下，孙悟空以双拳迎战青牛精。

那妖魔笑道："这猴儿强勉缠帐！我倒使枪，他却使拳。那般一个筋髓子拳头，只好有个核桃儿大小，怎么称得个锤子起也？罢，罢，罢！我且把枪放下，与你走一路拳看看！"

在占据绝对优势的情况下，青牛精没有乘胜追击，没有恃强凌弱，而是放下兵器，与孙悟空公平一战。这种气度，在西游世界堪称独一份。

双方比斗拳法，又打了几十个回合。书中说："喜得个李天王厉声喝采，火德星鼓掌夸称。"

事后，孙悟空询问李靖，自己的拳法与妖怪相比如何。李靖回答："他拳松脚慢，不如大圣的紧疾，他见我们去时，也就着忙。"

事实是如此吗？

根本不是。这托塔天王李靖是一个老官僚，最擅长的就是见风使舵，溜须拍马。原文以旁白的身份，非常客观地写着："两个相持数十回，一般本事无强弱。"

只因李靖、哪吒等人没有降伏妖魔，不能向玉帝交差，并且各种兵器都被妖魔收走，空手也没法子回家。在这种情况下，大家把所有的希望都寄托在孙悟空身上——孙悟空擅长偷窃，大家都怂恿孙悟空晚上到金㟃洞把兵器偷回来。

当晚，孙悟空偷回了金箍棒，再度与青牛精大战。双方打斗了足足六个小时，依然不分胜败。

青牛精下界一趟，基本没有劣迹。原著对金㟃洞的描写，没有一处提到吃人。从青牛精善待唐僧也可以看出，他明白唐僧的背景，也知道自己下界的真正意图。

青牛精也只是仙界高层的一枚棋子，无法决定自己的人生。但是，在有限的自由下，青牛精选择了以自己的方式去生活。

青牛精的故事和黄眉老怪的故事极像。两人都是高层的部下，都是引得唐僧自投罗网，都有超强法宝傍身，都崇尚武力，好勇斗狠。不同的地方是，青牛精始终不卑不亢，而黄眉老怪则狂妄无比。

在身处高位时不自大，在占据优势时不狂妄，能坦率、公平对待他人，青牛精做得很好。

第十八节　女儿国风

离开金㟃山后，唐僧师徒走入女儿国。

提到西梁女儿国，许多男同胞们的大脑中估计就会浮现很多幻想。偌大一个女儿国，竟然一个男人也没有，连猪八戒那样的丑男，来到女儿国也成为抢手货。

可惜，这只是美好的幻想。真实的女儿国，不但不浪漫，反倒很可怕。

走近女儿国都城的时候，唐僧师徒就发现情况有些不对劲。

女儿国都城外数十里地方有一条小河，后来，唐僧师徒知道叫作子母河。他们在河边高喊渡河，喊了很久，从对岸划过来一条船，撑船的竟然是个老年妇女。孙悟空有点奇怪，询问道："艄公如何不在？"撑船不但是个体力活，并且是个抛头露面的活，按照常理，应该是男人来干才对。老妇人只是看着他们微笑，也不答话。

唐僧师徒一路走来，打杀了不少妖魔鬼怪，自然不会把一个凡人妇女放在眼中。大家高高兴兴上了船。到了对岸，唐僧让沙僧从行李中拿出几文钱做船费，付给老妇人。老妇人也不拘多少，随手收下。

看着老妇人微笑着走入河边小屋，唐僧师徒虽然觉得略感奇怪，但也没有往深里想。或许老妇人是一个崇奉佛派的女菩萨呢？

因为口渴，唐僧和猪八戒喝了一口清澈的河水，就上路了。

走了一个小时，唐僧和猪八戒开始肚子疼，好不容易坚持走到一个村庄。几个老婆婆一看唐僧、八戒的样子，立刻明白了，欣欣然笑着招呼大家进屋，还说："好耍子，好耍子！你都进来，我与你说。"

那老婆婆为何放心招呼四个男人到自己家中呢？老婆婆解释说："我这里乃是西梁女国。我们这一国尽是女人，更无男子，故此见了你们欢喜。”

原来，并非因为唐僧长得帅，也不是猴哥能降妖，只因这四位都算是男人，于是欢喜。

唐僧师徒来到，对于老婆婆们是好事。走入女儿国，对于唐僧师徒，是好事还是坏事呢？

乍一看是好事，仔细一想是坏事。

孙悟空第二次带着沙僧前往解阳山时，唐僧胆小的毛病又犯了，他说：“你两个没病的都去了，丢下我两个有病的，教谁伏侍？”一旁的婆婆立刻接口说：“老罗汉只管放心，不须要你徒弟，我家自然看顾伏侍你。你们早间到时，我等实有爱怜之意，却才见这位菩萨云来雾去，方知你是罗汉菩萨。我家决不敢复害你。”

孙悟空一听这话语不对，老婆婆什么意思？不就是说她最初热情招呼四人进入屋子，是想要谋害他们四个？等看到孙悟空会腾云驾雾，才知道四人都是仙人，故此才不敢再起害人之心？

孙悟空喝问原因，老婆婆说出真相，让唐僧、孙悟空等人大吃一惊。

老婆子笑道：“爷爷呀，还是你们有造化，来到我家！若到第二家，你们也不得囫囵了！”猪八戒哼哼地道：“不得囫囵，是怎么的？”婆婆道：“我一家儿四五口，都是有几岁年纪的，把那风月事尽皆休了，故此不肯伤你。若还到第二家，老小众大，那年小之人，那个肯放过你去！就要与你交合。假如不从，就要害你性命，把你们身上肉，都割了去做香袋儿哩。”

原来，因女儿国常年来极少见到男人，一旦见到，必定群起哄抢。若随意走入人家屋中，就会被女子强迫办事。如若不从，女儿国人并不会将其放走，而是把那男人的肉割下来，分给所有女子，在人人腰间带着，充做香囊——这癖好，想想就令人心惊。

这些老婆婆们因为年纪已经很大了——估计都六七十岁了，对男欢女爱的事情看得淡了，所以才没有出手伤害唐僧师徒呢！

老婆婆有没有危言耸听呢？没有。

唐僧师徒喝了落胎泉水后出发前往女儿国都城。走了三四十里，来到都城。原文说：

“唐僧言未尽，却至东关厢街口。那里人都是长裙短袄，粉面油头，不分老少，尽是妇女，正在两街上做买做卖。忽见他四众来时，一齐都鼓掌呵呵，整容欢笑道：‘人种来了，人种来了！’慌得那三藏勒马难行，须臾间就塞满街道，惟闻笑语。八戒口里乱嚷道：‘我是个销猪，我是个销猪！’行者道：‘呆子，莫胡谈，拿出旧嘴脸便是。’八戒真个把头摇上两摇，竖起一双蒲扇耳，扭动莲蓬吊搭唇，发一声喊，把那些妇女们唬得跌跌爬爬。”

唐僧嘱咐三个徒弟，进入都城后，面对诸多女性，切莫失了本性，否则观音、如来那里不好交差。

进入街口，女儿国人果然热情如火，不到一会儿工夫，呼啦啦把街道全部堵满，人人拍掌。当被一个女人这么盯着时，男人会感到幸福；但被一百、一千个女人这么盯着时，男人就只剩下恐惧了。何况人家人人口中高喊：“人种来了，人种来了。”在女儿国妇女眼中，唐僧师徒绝非爱慕的对象，而是生育机器，是播种机。

于是，一贯好色的猪八戒也主动表白：“我是个销猪，我是个销猪!”

什么叫作“销猪”?这个词估计是《西游记》作者家乡的方言,各种词典中都没有收录。我认为,此处当解释为“臊猪”,即未阉割的公猪。

其一,在多个地方方言中,“销”与“臊”同音。

其二,在原著第五十三回,老婆婆说女儿国妇女经常会把男人连皮带骨给活吞了,猪八戒故意装出坦然的样子说:“若这等,我决无伤。他们都是香喷喷的,好做香袋;我是个臊猪,就割了肉去,也是臊的,故此可以无伤。”

“臊猪”,即未阉割的公猪。因为没有被阉割,所以臊猪的肉吃起来比阉割了的公猪要腥臊。

一贯好色的猪八戒,在听了老婆婆一番介绍后,恐惧之心已经大于淫乱之心。在美色与小命面前,自然小命要紧。

《西游记》作者为何要在西游世界写这么一个只有女人、没有男人的女儿国呢?

我们说,西游中的仙佛世界,多是现实世界的折射。在我看来,西梁女儿国在现实世界不但存在,而且历朝历代皆有。

我们可以从狭义和广义两方面来解读女儿国的象征意义。

狭义方面,历朝历代的后宫世界,就等同女儿国。女儿国中只有女性,没有男性,这与后宫中三千佳丽,长年幽闭深宫,只是等候皇帝一人宠幸,何等相似?

唐僧来到女儿国,不但千万百姓欢迎,即便是女王,也愿意把江山抛却,只想着讨好唐僧。而后宫佳丽,下至端茶递水的低级宫女，上到高高在上的皇后，无人不把得到皇帝的恩宠当作最大愿望。得知则喜，失之则忧。

广义方面，宋明以来广大妇女的生存状态都如同女儿国一般。宋明以来，尤其是明朝以来，理学逐渐变成道学。所谓“存天理，灭人欲”，很多观念被扭曲解读。官方对女性贞节的宣扬日益高涨，不少女性甘为封建礼教的牺牲品。于是，大明王朝走向两个极端。一方面，官方大力表彰各种贞节烈女；另一方面，朝廷民间淫风甚烈，各种春宫图、黄色书刊大行其道。

就如同女儿国一样，原本，上天制造一个女儿国，是希望建立一个完全脱离男欢女爱的纯洁国度，谁料想事与愿违，女儿国反倒成为一个上至君王，下至百姓，都变态到恬不知耻的国度。

《西游记》作者就是要告诉我们，反人性的东西，必然是变态的、扭曲的，不值得提倡。

第十九节　子母水深

女儿国故事看起来很简单，子母河看起来只是一条小河，其实这里面的水很深，深不可测。

西游世界为何会存在这么一个奇怪的国家？只有女的，没有男的？

是女儿国的女人不正常，不会生育吗？不是的。女儿国的女人都是正常的女人。

唐僧师徒曾经在女儿国都城外三四十里的村子中小住。老婆婆说，只因年纪大，她如今把男欢女爱之事看淡了，才没有出手伤害唐僧师徒。可见，此婆婆年轻的时候，也有过“辉煌”的过去。

子母河前的撑船妇人看到唐僧师徒来了，只是微笑。村中多位妇女看了，也只是欣欣然，并不是特别热切渴望。可是，等唐僧师徒到了京城，好家伙，女人们在一两分钟就堵满了大街。每个女人都高喊：“人种来了，人种来了。”眼看众妇女就要表演饿虎扑食，把唐僧撕成碎片，幸亏猪八戒、沙僧、孙悟空一个个摆出丑态，把女人们吓得不敢靠前。可就是如此，他们在这条大街也走了很久。

很明显，女儿国并非从无男人到来。尤其是距离都城越远的地方，妇女们见到男人的比例就越高。正因为常见男人，村中妇人才没有像都城女子见到男人时那么激情四射，不可遏制。

除了唐僧之外，哪里还有男人来到女儿国呢？

我们回忆下唐僧师徒在通天河东岸陈家庄的日子。一天，通天河全河冰冻，唐僧和陈家兄弟一起出门观看。远远看到河面上有一伙一伙的路人。唐僧惊问是什么人。老人道：“河那边乃西梁女国，这起人都是做买卖的。我这边百钱之物，到那边可值万钱；那边百钱之物，到这边亦可值万钱。利重本轻，所以人不顾生死而去。常年家有五七人一船，或十数人一船，飘洋而过。见如今河道冻住，故舍命而步行也。”

什么东西在过河之后就价值翻了百倍呢？其实，我们只要看看陈家庄和女儿国各自有什么特产就明白了。

陈家庄只是一个普通村子，虽然普通，但对于女儿国却有一项稀有商品——男人。陈家庄的男人们千辛万苦越过通天河，赶到女儿国——都城基本上进不去，只能在城池外围。男人们把自己献给女儿国的女人们，然后带回女儿国的特产。

什么特产呢？子母河的水啊！

陈家庄的陈清、陈澄两兄弟都说自己子嗣艰难，都是五十多岁了才生娃。或许陈家兄弟这种现象不是普遍现象，但无论在何地，总会有子嗣艰难的人家。自然，子母河的水变成了紧俏商品。

于是，世世代代，陈家庄人就以这种方式，送出自己，换来子母河水，发了大财。

灵感大王金鱼精为何要把陈家庄老老少少的生辰年月都记得清楚？他就是要防止陈家庄人利用子母河水作弊生子，让他吃那没有元阳、元阴之气的孩子。

既然时常有男人到来，为何女儿国不干脆让男人留下来呢？以女儿国如此充沛的资源，只要有优惠条件，比如娶一个送一个，即便是千里万里外的男人，也会不辞辛苦赶来。

原因只有一个，自古以来，女儿国就不准男人停留。城外妇女将男人留宿，那也是非法的。于是，经常发生女人们集体把男人分尸，切割成香囊，以消弭罪证的事情发生。

女儿国的女人们一旦怀孕，是不是仅仅生女儿呢？

不是。

无论是偷偷与外国的男人交欢，还是年满二十岁，有了自立能力后喝子母河的水，都可以导致女儿国的女人怀孕。她们一旦怀孕，就会生娃。既然是生娃，那就应该既会生女娃，也会生男娃。

可是，奇怪的事情又发生了，为何女儿国中没有一个男人呢？男娃都到哪里去了？

在女儿国除了子母河这样堪称三界奇宝的神水外，还有两样神水。

一处是在都城内的一个驿站，名字叫作“迎阳驿”，里面有个照胎泉。怀了身孕的人去泉水边一照，可以看见两个影子，即母亲（父亲）和孩子的影子。这不就是现在的X光吗？好牛！

另一处是在解阳山上的破儿洞，洞中有个落胎泉。有孕之人只要喝了那泉水，就可以把腹中胎儿打落，不伤母体性命。

既然女儿国人是要在年满二十岁，有了独立能力后才喝子母河水怀孕，为何又经常有人去解阳山破儿洞求取落胎泉水呢？

并非女儿国人未婚先孕，必须堕胎，避免丑闻传开，而是因为女儿国人也会怀上男胎。书中交代，女儿国人在喝了子母河水三天之后，必定要去迎阳驿照一次照胎泉。——我大胆猜测，这照胎泉不但可以分辨出母体和婴儿的身影，并且可以判断出婴儿是男是女。

若是女婴，那就是女儿国合法居民，可以正常生产。若照到是男婴，对不起，无法获得女儿国户口，必须将其落胎。于是，经常有妇女前往解阳山喝落胎泉水。

看人家这名字，也取得很有寓意：解阳山、破儿洞、落胎泉。

这不明摆着是说，这泉水专门就是用来落男胎的吗？

正因男胎无法留存，女儿国才会一直只有女性居住。

第二十节　背后大仙

西梁女儿国一回，表面看来，没有什么特别出彩的地方。不过就是女儿国女王看上了唐僧，想要以江山作为嫁妆，招唐僧入赘的故事。正因为没有太多曲折，1986 年央视版电视剧《西游记》中，刻意加重了唐僧与女儿国女王之间的感情戏份，把唐僧战战兢兢的女儿国一游，变成了风花雪月、浪漫无比的爱情之旅。

其实，唐僧师徒的女儿国经历一点都不寻常。在女儿国看似平静的背后，其实暗流汹涌，仙界各派势力或明或暗，都有现身。

那么，女儿国背后的仙界大佬究竟是谁呢？太上老君。

西梁女儿国怎么会和太上老君扯上关系？

首先，西梁女儿国是一个崇奉道派的国家。

女儿国太师说："今宵吉日良辰，就可与御弟爷爷成亲，明日天开黄道，请御弟爷爷登宝殿，面南改年号即位。"所谓"黄道吉日"，其实就是最典型的道派之词。

后来，女王见到唐僧英俊潇洒，风度翩翩，心情荡漾，当场就要拉唐僧登基即位。唐僧连忙说："不可！不可！适太师言过，明日天开黄道，贫僧才敢即位称孤。"听到唐僧强调，明天才是"黄道吉日”，今天不可造次，女王才按捺激动之情，放过了唐僧。

只是，道派仙人众多，怎么就能确定女儿国背后的大佬是太上老君呢？

只因这女儿国历史悠久，从开天辟地之时，就已经存在。

女王曾说：“我国中自混沌开辟之时，累代帝王，更不曾见个男人至此。”此句告诉我们一个重要信息：女儿国这个国家的历史十分久远，从混沌开辟之时，即诸仙争霸时代就已经存在。

翻遍《西游记》，女儿国这种从太古时代就已经存在的国家，绝对是唯一的存在。大唐王朝建立不过数十年。乌鸡国的建立，也不过十数年。多数的人类王朝，短不过三五十年，长不过三五百年。女儿国竟然存在了无数万年！

并且，女儿国国土还比较广大，从通天河的西岸开始，就是西梁国地界，之后的金峨山金峨洞青牛精、毒敌山琵琶洞蝎子精，那都是在女儿国境内。

像这种王国，若无仙界势力在背后支撑，怎么可能存活这么久长？

《西游记》中明确强调，太上老君乃是开天辟地之前就已经存在的三界第一仙人。当然，开天辟地之初还存在其他大仙。虽然《西游记》中对三清之元始天尊、灵宝天尊介绍极少，但他们二人既然能与太上老君并称三清，至少也应该是开天辟地之初就存在的大人物。

那还有什么信息可以推出女儿国的背后是太上老君吗？有。

在平顶山银角大王介绍自己的红葫芦时说：“我这葫芦是混沌

初分，天开地辟，有一位太上老祖，解化女娲之名，炼石补天，普救阎浮世界。”银角大王的话除了以红葫芦是太上老君采自昆仑暗示银角大王的出身，还告诉我们一个重要信息——创造人类的女娲，也是太上老君的化身。

我们都知道女娲有两大功绩：其一，创造人类；其二，炼石补天。

在《西游记》中，太上老君是三界毫无争议的头号炼器大师，所谓“老君出品，必属精品”。由他来炼石补天，才可以确保这苍天的使用期限。那太上老君为何不直接自己去补天，而要变化成女娲呢？这就不得而知了，估计这属于太古时代悬案之一了。

那太上老君所化的女娲是如何创造人类的呢？

在我们了解的神话中，是女娲用泥巴和水，做成小人，吹口仙气就活了。后来做得累了，就拿根柳条，沾点泥水一甩，一排人就出现了。前面她亲手制造的人，工艺精良，后来就成为王侯将相；后来批量制造的人，比较粗糙，就成为劳苦大众。

那在《西游记》中人类是怎么诞生的呢？

原著中没有明说，但我们可以推测出来。因为，在女儿国中就有那么一个可以简单易行制造人类的地方——子母河。

无论是凡人（唐僧）还是神仙（猪八戒），无论是男还是女，只要喝了子母河的水，就会立刻怀孕，没几天就能生产——女儿国生娃，可不需要怀胎十月，喝水当天就会受孕，三天之后胎儿就成形，可以照出影子。现代科学认为，胎儿三个月时器官基本生成，可以辨别男女。女儿国人怀孕，估计是以天当月，九天就能生产。

或许，女儿国的第一代女王，就是女娲（太上老君）喝了子母河的水产下的孩子。女娲亲自生育了一批孩子，有男有女。后来，女娲累了，就让孩子们自行婚配，逐渐繁衍，渐渐就形成了西游中的人类各国。

女娲的后代中，有那么一派决定严格遵循女娲造人的生育方式，并且把男女交合产下后代当成大逆不道之举。到后来，这一派建立了自己的国家，就是西梁女儿国。

西梁女儿国在取经时的西游人类世界，已经是怪物般的存在，但在太上老君的庇护下，依然得以存在。

西梁女儿国东面有八百里通天河，西面有六百里火焰山。可以说，寻常的人类国家很难逾越这两道天险，威胁到女儿国。

如来策划取经行动的一个重要目的，就是让取经沿途的国家改变信仰，由信奉道派，改为信奉佛派。如来巧妙布局，在乌鸡国和车迟国逐一成功。在女儿国，如来又采取了什么行动呢？

大家回想一下，通天河中的灵感大王金鱼精为何宣称要吃童男童女，而且只吃陈家庄的嫡亲儿女呢？

金鱼精来自何处？来自观音的莲花池。他来之前观音在干什么？在给诸仙说法。

观音在说法讲修仙大道时，极有可能批判性地提到，一些妖邪靠吃童男童女以增进功法，颇有奇效。金鱼精一听大喜，记在心中。之后，金鱼精向其他人打听，天下有哪处河川可以落脚。极有可能他就是向给观音驮瓶子的老龟打听的。金鱼精自然不会知道，此龟早就得到了观音指示。老龟告诉金鱼精，天下河川都有主，唯独西天通天河之主是一只无能老龟，可以前去抢占府邸。

金鱼精自以为得计，趁着涨潮，溜出南海，来到通天河吃人。只是，他没有想到，自己所做的一切，都在观音的布局之中。甚至，吃女儿国人无效，只能吃陈家庄人才行，也是观音暗中传递的信息。

陈家庄人为了延续后代，不得不排除万难，一批又一批渡过通天河（大家注意，原著中从没有提到金鱼精吃渡河的百姓）。陈家庄人到了女儿国，把自己献给女儿国的女人们，然后抱回女人们生下的娃。

寻常人类男人吃了子母河水，虽能怀孕但是没有办法生下孩子。孙悟空曾经开玩笑说，从肋下开刀，把孩子取出。但除了神仙，还得是高级神仙，才能这么做，否则，必死无疑。

观音这么做，就是要让陈家庄男人一步步攻陷女儿国。因为，陈家庄全庄百姓都是信奉佛派的。

可是，太上老君及时发现了观音的密谋。

金鱼精在九年前自己逃逸，来到通天河。青牛精在七年前意外走失，来到金岘山。而金岘山恰恰就在通天河到女儿国的必经之路上。因此，除了最初两年有陈家庄人到达女儿国都城外，之后七年过来的陈家庄人都被青牛精给吃了。

太上老君和观音是合作关系，在有的问题上可以让步。比如在车迟国问题上，太上老君代表的道派就做出了重大牺牲。可是，女儿国是太上老君绝对不会放弃的地方。因为从某种意义上说，女儿国是太上老君的私产。

第二十一节　如意真仙

《西游记》西梁女儿国中有三大神水——子母河、照胎泉、落胎泉。这三大神水从开天辟地之初，就已经存在。

这三大神水，在往常的亿万年，只有照胎泉有女儿国官方看守——此泉水就在女儿国迎阳驿站中。

女儿国人在年满二十岁之后，可到子母河饮水。喝水三天之后，必须到迎阳驿站照胎泉照一照。若照出是女胎，自行回家待产。若照出是男胎，则官方必定严令前往解阳山饮落胎泉水，将男胎打掉，以维持女儿国的纯洁性。

此前，落胎泉一直无人看守，女儿国百姓可以自行饮用。可是，在几年前，情况忽然发生了变化。

原著中老婆婆曾说："向年来了一个道人，称名如意真仙，把那破儿洞改作聚仙庵，护住落胎泉水，不肯善赐与人。但欲求水者，须要花红表礼，羊酒果盘，志诚奉献，只拜求得他一碗儿水哩。你们这行脚僧，怎么得许多钱财买办？但只可挨命，待时而生产罢了。"

在老婆婆看来，如意真仙为何要霸占落胎泉？自然是为了"花红表礼，羊酒果盘"。

老婆婆说的貌似没错。

后文中孙悟空来到解阳山破儿洞，看到了一个老道士。孙悟空讨要泉水，老道士说：“你的花红酒礼，都在那里？我老师父护住山泉，并不曾白送与人。你回去办将礼来，我好通报，不然请回，莫想莫想！”

老道士也认为他师父如意真仙是看中了落胎泉的独特价值，于是据为己有，以此谋利。

事情其实恰恰相反。如意真仙只是用收人类礼物，来掩盖他霸占三界神水的真正意图。

对于人类来说，求个堕胎药，被要求送上的一些羊啊、果子啊，已经算是比较贵重的礼物。可是，对于一个仙人来说，人类的一点水果、牛羊算得了什么呢？看后文，如意真仙和孙悟空大战，虽然最终落败，但也打了十多个回合。也就是说，如意真仙的实力至少是与白龙马同一级别，已经算是西游世界中等高手了。这种级别的仙人，随便在什么地方都可以霸占个三五百里之地，称王称霸，吃喝不愁。

如意真仙为何偏偏要守住一个落胎泉呢？

前文讲到红孩儿的时候，土地、山神曾经交代，是牛魔王安排红孩儿前来镇守六百里号山的。这如意真仙镇守落胎泉，应当也是牛魔王的安排。

当如意真仙得知来人便是孙悟空的时候，不怒反笑说：“你真个是孙悟空，却是假名托姓者？”听孙悟空承认后，如意真仙咬牙切齿说：“你们可曾会着一个圣婴大王么？”孙悟空一听就知道要糟糕。果然，如意真仙说：“是我之舍侄，我乃牛魔王的兄弟。前者家兄处有信来报我，称说唐三藏的大徒弟孙悟空惫懒，将他害了。我这里正没处寻你报仇，你倒来寻我，还要什么水哩!”

从如意真仙的话中我们可以看出这样一些信息：

一是牛魔王对五百年前曾和孙悟空结拜的事情隐瞒得很紧，儿子、弟弟——包括妻子铁扇公主，都不清楚；

二是牛魔王没有告诉如意真仙红孩儿被观音降伏的前因后果，只是强调，红孩儿被孙悟空害了。

牛魔王为何这么说呢？明摆着是要挑起弟弟对孙悟空的仇恨。

有人说，牛魔王不是红孩儿的亲父亲，对红孩儿被抓一点都不伤心，反倒是红孩儿的叔叔如意真仙，是个真叔叔，为侄儿做了人家奴才伤心难过。

事情真的是这样吗？

当然不是。牛魔王可不是一个普通妖怪。火焰山土地介绍他时说，牛魔王的法号叫作西方大力牛魔王。土地可是天庭拥有仙箓的正式仙人，对牛魔王尚且如此恭敬。在三调芭蕉扇故事中牛魔王曾经说：“他二徒弟猪精，三徒弟沙流精，我当年做妖怪时，也曾会他。”牛魔王说自己“当年做妖怪时”，也就意味着，如今他已经不做妖怪了。

不做妖怪了，那他如今做什么？

在前文中我分析过，牛魔王乃太上老君在《西游记》中的三大徒弟之一，另外两个是孙悟空和猪八戒。铁扇公主的芭蕉扇，乃是太上老君送给徒弟牛魔王的礼物——让东海龙王转交孙悟空金箍棒，让玉帝转交猪八戒九齿钉钯。每个徒弟，都有一份老君炼制的法宝。

所以，当是牛魔王得到太上老君法旨，让他派一人去镇守落胎泉。于是牛魔王就派了亲弟弟如意真仙出马，实际上促成了取经路上的一难。

那么，太上老君让人把守落胎泉的真正目的是什么呢？

应当是为了更好地掌控三界仙佛。

自从化身女娲，完成造人、补天的两个任务后，太上老君就基本上将女儿国给遗忘了。太上老君太忙了。要知道，天有三十三重，每一重都是一个世界。要想完成反天计划，单独靠一个世界的力量是不行的——这也是三清、四帝极少出场的重要原因。

可是，因为取经行动，太上老君又想起了某个旮旯里有个女儿国，女儿国里有子母河、照胎泉、落胎泉。

这三大神水中，照胎泉对太上老君暂时没用。子母河可以让凡人、仙人都怀孕。对子嗣艰难的人类来说，子母河水很值钱。可对于仙人来说，子母河的水就是毒药。因为天庭一直严禁非婚生育。已婚人士托塔天王可以生三胎、四胎，天庭都不会干涉，而未婚人士奎木狼爱上了披香殿侍女，却只好偷偷下凡，在人间生儿育女。因此，子母河的水根本不需要看管，没有哪一个神仙会傻傻地主动喝子母河的水——猪八戒不明真相例外。

落胎泉就不一样了。

神仙也会有性生活，有性生活就会有概率怀孕。神仙一旦怀孕，麻烦可大了，轻则刀砍雷劈，重则削去仙箓，打落凡尘。因此，合理利用落胎泉，必然可以获得丰厚回报。

说完子母河与落胎泉，我们再来说说貌美如花的女儿国女王。

第二十二节　结婚风波

1986 年央视版电视剧《西游记》的女儿国故事在观众中影响极大，尤其是片中曲《女儿情》更是传唱多年。许多观众都觉得唐僧应该留下来——女儿国女王多好啊，又美貌，又痴情，人生得妻如此，夫复何求？而此版中的唐僧虽然有些迂腐，但是对于取经大业的那份认真、宁死不改初衷的情怀，则让许多观众为之感动。

改编很美好，真相很残酷。原著中的女儿国女王与唐僧之间，根本不是那么回事。

古代婚姻不像现在需要有国家民政部门盖章、发证，古人只需要有媒妁之言、父母之命，就算合法夫妻。在《西游记》原著中，唐僧与女儿国女王其实已经成婚，算是合法夫妻了。

既然唐僧已经结婚，为何还要抛下妻子，远去灵山取经呢？

只因为，这场婚姻本就是一场交易、一场骗局。

为何这么说呢？

无论是在影视剧中，还是原著中，女儿国女王都很美。可是，影视剧与原著不同的是，影视剧中的女王温柔多情，是典型的贤妻良母，让人一看就顿生爱慕之情。

原著中的女王呢？不但说一不二，专横霸道，还城府深沉，处处精于算计。

驿丞禀告，唐僧要上殿倒换通关文牒。女王听后满心欢喜，立刻宣布：“寡人夜来梦见金屏生彩艳，玉镜展光明，乃是今日之喜兆也。”

女王颇有心机。她知道以自己国王之尊，主动提起婚事，有失颜面，于是灵机一动编出一个谎言，说自己晚上做梦，梦到了宫殿中的屏风生出五彩霞光，镜子透射出万道光明。总之，祥瑞出现，喜事临门。既然是上天垂相，自己再提起与唐僧的婚事，那就不是思春淫荡，而是顺应天命了。

女王与唐僧还未谋面，为何只听下属几句介绍，就决定把自己嫁出去呢？只因她早就盘算好了盈亏，料定这场婚事自己只赚不赔。

群臣询问有何喜事。女王回答说：“东土男人，乃唐朝御弟。我国中自混沌开辟之时，累代帝王，更不曾见个男人至此。幸今唐王御弟下降，想是天赐来的。寡人以一国之富，愿招御弟为王，我愿为后，与他阴阳配合，生子生孙，永传帝业，却不是今日之喜兆也？”

女王认为，嫁给唐僧将有两大收益。

其一，唐朝乃是东土头号大国，国力强盛，名震外邦。唐僧乃是大唐皇帝御弟，身份高贵。若能与大唐皇族联姻，必定大大提高女儿国的国际影响力。

其二，唐僧乃是男人，并且是从混沌开辟时期到达女儿国的第一个男人。

对于女儿国的女人来说，男人意味着什么？

当唐僧师徒进入国都时，大街上的女人们都挤上来观看。哪怕猪八戒、沙僧嘴脸可怖，也挡不住女儿国女人们的激情。女人们沿途高喊：“人种来了，人种来了！”于是，更多的女人前来围观。

原来，男人在女儿国人看来，就是人种，或者说就是种人，其最主要的功效就是传宗接代。

女儿国女王表示，自己出嫁绝非为了情欲，而是为了传承帝业，江山社稷永固。

只是，婚姻乃是双方的事情。单单女方获益，男方肯定不干。因此，女王给唐僧开出了一个非常诱人的条件：将国家送给唐僧，从此之后，唐僧是国王，她自己做王后。

可以说，在女王看来，自己提议的这场婚姻乃是互惠互利的事情，唐僧完全没有理由拒绝。

群臣听闻，人人大喜，即刻开始张罗婚事。

大家看女王的几段话语中，可有一个字提到爱情？别说是爱情，就连带有私人色彩的好感都没有。女王口中所说的，只有利，只有对自己、对女儿国的利。

女王派出太师做媒，驿丞主婚。两人前往驿站，告诉唐僧这场婚事。

听闻消息，唐僧是何反应？

在见到太师之前，师徒关起门来聊天。孙悟空断言：“太师前来不是相请，就是说亲。”唐僧询问：“悟空，假如不放，强逼成亲，却怎么是好?”孙悟空说：“师父只管允他，老孙自有处治。”

对于这场婚事，唐僧的第一反应不是欢喜，而是疑心。这也难怪，自从四圣庄被黎山老母与观音菩萨戏弄了一番后，唐僧一旦见到美女谈婚论嫁，就心惊胆战。保不齐又是高层的一次考验呢!

因此，虽然孙悟空满口保证一切有他处治，但唐僧对婚事依然不放心。

当太师当面提亲时，“三藏闻言，低头不语”。太师说明女王开出的条件，愿意让唐僧为王，“长老越加痴哑”。

唐僧是因为对婚事动心才不说话吗?

此时唐僧并没有见到女王，还没有感受到女王的美艳所具有的强大杀伤力。女王开出的条件是送给唐僧一国的富贵，可是她不了解唐僧。诱惑人、腐蚀人的三大利器分别是名声、女色、富贵，这其中，唐僧看得最重的是名声，看得最淡的是富贵。钱财、禄位哪里比得上成仙成佛?

因此，当时的唐僧根本不会动心。

那唐僧为何不直接拒绝女王求婚呢?只因一旦拒绝，定会引得女王大怒。

孙悟空把唐僧拉到一边说悄悄话：“你若使住法儿不允他，他便不肯倒换关文，不放我们走路。倘或意恶心毒，喝令多人割了你肉，做什么香袋啊，我等岂有善报?一定要使出降魔荡怪的神通。你知我们的手脚又重，器械又凶，但动动手儿，这一国的人尽打杀了。”

孙悟空这番话一半是真话，一半是恐吓。女王求婚被拒，通关文牒估计就不给盖章了，或者就此把唐僧扣押起来。这些都可能发生。只是，以孙悟空之能，根本不必出手杀人，他完全可以以定身法定住百官，亲自盖章走人。

孙悟空喜欢捉弄唐僧、考验唐僧。唐僧虽然知道这点，却也无可奈何。

唐僧还有担忧，他告诉悟空："但恐女主招我进去，要行夫妇之礼，我怎肯丧元阳，败坏了佛家德行；走真精，坠落了本教人身?"

按照常理，一个男人得到女王的求婚，最不该担心的就是行夫妇之礼，丧失元阳了。可是，唐僧不是寻常男人，他是肩负取经重任的大唐高僧，并且取经行动关联重大。

从四圣庄之后，唐僧就已经明白，在身边的暗影中，有足足三十九位隐形的仙人在盯着他。无论他是在吃饭、睡觉，还是在上厕所，始终都有人在一旁静静观看。若这些人是唐僧的下属、仆从，那他尚可无视。关键是这些人各个手眼通天，自己的一言一行随时都有可能立刻被观音、如来知晓。

除非不想混了，否则唐僧绝对不可能说出想结婚、想破戒的话，更不可能实际做出行夫妇之礼的举动。因为唐僧无论在何时何地都处在聚光灯下，毫无私密。

因此，面对女儿国女王的求婚，唐僧根本不会心动。即便心动，他也不会有任何出格的行动。

那么，如何避免出现女儿国女王霸王硬上弓，最后唐僧心动却不能行动的尴尬局面呢？孙悟空提出了一个解决方法——骗。

他让唐僧骗女王，答应这场婚事。之后，女王召见，宴请唐僧师徒。再之后，孙悟空三兄弟辞行，唐僧借口出城相送，一起离开。孙悟空提出，到那时通关文牒已经盖章，师徒也已经在城外，就算女王发怒，他也可以用定身法让大家脱身。

于是，唐僧就按照孙悟空的提议行事。

唐僧与女儿国女王的婚事比闪婚还闪婚。

当天上午，唐僧师徒到达都城。驿丞禀告女王，女王派太师到驿馆去提亲。唐僧答应后，女王亲自到驿馆迎接唐僧入宫。到宫中，百官朝拜唐僧、女王。唐僧师徒共同参加婚宴。至此，双方已经是正式结婚。

虽然说唐僧与女儿国女王的这段婚事只有利益和骗局，而没有爱情，但是在行婚礼、造成既定事实后，唐僧的内心起了很大变化。

筵席结束，孙悟空三人辞行，唐僧提议相送。女王与唐僧一同出城。

从以上事项安排可以看出，唐僧与女王始终都在公众场合，没有一点私人空间。百官随行，众目睽睽之下，女王与唐僧不可能发生私密事情，唐僧的元阳自然是完好无缺。

之后，唐僧告诉女王自己也要走。

虽然说女王算计在先，用强在后，但毕竟唐僧已经答应了婚事，并且双方已经举行了婚礼，吃了婚宴，整个女儿国都知道女王嫁给了唐僧。此刻唐僧就这么走了，实在不地道。

其实，唐僧心中也有愧。虽然在周围有许多人监视的情况下，他无法表达他的真实心意，但他的一个细微动作泄露了他的心意。

临别时，唐僧不是行佛礼合掌告别，而是对女王“拱手”道：“陛下请回，让贫僧取经去也。”这“拱手”乃是凡人之间的礼节。并且，唐僧不是说贫僧取经去也，而是说“让贫僧取经去也”。这即是说，在唐僧心底深处，他已经认可了这桩婚姻，把女王当成自家妻子了。

或许，在成佛之后，在有了足够的自主权之后，唐僧会再来女儿国，与女王再续前缘。就算不能有鱼水之欢，但度化女儿国女王成仙，了结一段姻缘，还是可以做到的。

第二十三节　谁毁婚姻

面对唐僧的骤然离别，女王极为惊诧。在女王看来，她完全不明白唐僧为何要放弃这段大好姻缘。用女王的话说：“喜筵通皆吃了，如何却又变卦？”言下之意，咱俩不是你情我愿、所有条件都谈妥了吗？

双方真的都谈妥了吗？

当然没有。在女王看来，唐僧此举是变卦，是违约。但在唐僧看来，一切本就是骗局。

那么，究竟是谁造成了这样尴尬的局面？谁又该为女儿国女王与唐僧这场婚变负责呢？

第一责任人，最大的责任人，自然是女儿国女王自己。

在整场婚姻中，女王做的所有判断，都是想当然而已。在她看来，自己貌美如花，更有托国之富，嫁给任何男人那都是男人捡了大便宜。她认为，放眼天下，绝对没有男人能够拒绝这场婚姻。

女儿国女王对促成婚姻极度自信。正是这过度的自信，使得这场婚姻注定了会失败。

确实，面对女王开出的条件，人间任何一个正常的男人都会动心。可是，她选择的对象偏偏是唐僧。

女儿国女王只看到了唐僧的一重身份——大唐御弟，却并不知道唐僧的另一重身份——佛子金蝉。她更完全不知道取经僧人所代表的特别意义。

人间寻常男子所在意、所追求的，无非是富贵荣华。可是，唐僧不是寻常男子，他虽然是凡人身躯，但一只脚已经踏入仙界，并且命中已经注定要成佛。

一方面是可以寿元齐天，受万仙膜拜；另一方面是打理区区人间小国，享受数十年安乐。二者之间的差异可谓天壤之别，只要是脑子正常的人都会做出如唐僧一样的选择。

女儿国女王的所谓优惠条件，在唐僧看来一文不值。可叹女王还自信满满，觉得自己筹码很多。

一直到唐僧被掳走，女王看到孙悟空三兄弟全部腾空飞走，才目瞪口呆，心中惭愧。

女王为何惭愧？一旁太师的劝说，刚好道破了她的内心。太师说："是白日飞升的罗汉，我主不必惊疑。唐御弟也是个有道的禅僧，我们都有眼无珠，错认了中华男子，枉费了这场神思。”

女王与太师到这时才意识到人家唐僧是白日飞升的罗汉（她们和许多国王一样，以为唐僧也会飞），女色也好，富贵也罢，在人家看来，都是浮云。

第二责任人是以太师为首的女儿国官员。

女儿国女王做出一系列决断，比如说提亲、迎亲等，都是建立在太师、迎阳驿驿丞禀告的基础上的。

女王以为臣下的禀告都是事实。其实，太师、驿丞等人口中所说都只是想当然——想女王之当然。

太师前去提亲时，明明唐僧从头到尾都没有点头，一旁的八戒还态度鲜明地提出反对，只有孙悟空表示可以答应，可是太师在回禀提亲事宜时却说：“主公佳梦最准，鱼水之欢就矣。”她全不提提亲的波折，却语气坚定地表示，提亲已经大功告成。

太师为何如此说？她看起来是为女王，其实还是为自己。

太师领命提亲，若是不成功必定被女王疑心，认为太师无能。女王一定会猜疑：自己这么好的条件，凭啥唐僧不答应呢？而太师的回禀正迎合了女王的自信心理。听到太师这样的回禀，女王最后的一点担心也被抛到九霄云外。

女王向太师详细询问情况。

本来，提亲的情况是这样的：最初太师提亲时，唐僧沉默。之后，孙悟空提出要倒换关文，太师答应。太师再摆出条件，唐僧继续沉默，孙悟空出面答应，并请求立刻面君，倒换关文，吃酒走人。

可是，在太师回禀女王时，情况却变成这样：“（最初）御弟还有推托之辞，幸亏他大徒弟慨然见允。”“（后来）御弟不言，愿配我主，只是他那二徒弟，先要吃席肯酒？”

正因为太师刻意迎合女王心意，这才导致女王认定唐僧已经答应了婚事，于是摆驾接唐僧入宫，倒换关文，吃了婚宴。

第三责任人是女儿国所有国人。

女儿国女王为何听闻唐僧入朝就万分激动，立刻就要提亲呢？用她的原话说：“我国中自混沌开辟之时，累代帝王，更不曾见个男人至此。幸今唐王御弟下降，想是天赐来的。”只因为千千万万年来，唐僧乃是女儿国历代国王即将见到的第一个男人。

女王这话必然不假。此前，她绝对没有见过其他男子。否则，她不会如此激动。

女王是在主动提出要与唐僧结婚、要与唐僧生儿育女之后，才询问驿丞唐僧相貌如何的。这就说明，在女王心中，男人的身份才是唐僧最大的价值所在。至于美丑，那是次要问题。

可是，唐僧是千万年来第一个走入女儿国的男人吗？当然不是。

前文我们分析过，通天河故事中，陈家庄就常年有人前往女儿国。正因为见过男人，渡过子母河时女船夫对唐僧师徒到来只是略有惊讶，依然笑脸相送。

到达女儿国郊外村庄时，唐僧师徒见到的女人们就有些目光不善。用一个老婆婆的话说：“我一家儿四五口，都是有几岁年纪的，把那风月事尽皆休了，故此不肯伤你。若还到第二家，老小众大，那年小之人，那个肯放过你去！就要与你交合。”

从此可见，到达女儿国王城郊外的男人已经很少了。正因为少，才有女人去争抢。

那么，有没有男人进过女儿国王城呢？有。

当看到唐僧师徒时，女儿国王城内的妇女什么反应？原文说：“忽见他四众来时，一齐都鼓掌呵呵，整容欢笑道：‘人种来了，人种来了！’”

若女儿国人没有见过男人，应当说：“瞧瞧，来的这四个是啥东西？”可是，女儿国人不但知道唐僧师徒是男人，并且连男人的最主要功用（人种）都知道。从此可见，女儿国王城内的百姓也是见过男人，甚至有人用过男人的。只是，女儿国律法森严，所有人都不敢公开这个事实。

结果出现的情况是：许多女儿国人都见过、用过男人，唯独女王大人很悲催，从来没有见过男人。身为一国女王，虽可以享受无边富贵，但耳边也多是谎言。

像清朝的道光皇帝，一贯很节俭，一次一个大臣的奏议让他很满意，于是下旨赐宴。这位大臣很激动，以为御膳必定是山珍海味。结果端上来的御膳却是一碗鸡蛋羹。道光皇帝对他说，鸡蛋很珍贵，20 两银子一个，今天你表现得不错，这鸡蛋羹赏你了。这位大臣有些莫名其妙，鸡蛋不是几文钱一个吗？20 两银子都可以买一车鸡蛋了。

全国臣民都知道鸡蛋很便宜，唯独道光皇帝不知道。只因为，有人希望他不知道，只有这样，这些人才好从中渔利。

女儿国女王很不幸，也遭遇了这类事件。

第二十四节　暗杀之王

在女儿国女王送别唐僧时，蝎子精突然出现，掳走了唐僧。后来，在昴日星官的帮助下，孙悟空三兄弟成功降伏了蝎子精。

蝎子精貌似草根，来历成谜，前后登场不过一回。不过，这蝎子精犹如流星，虽然只是在天空短暂划过，却留下了耀眼的光芒。

蝎子精单挑实力之强悍，仅次于九灵元圣，堪称天尊之下第一人。连猴哥都被她打怕了。

为何这么说呢？有两大证据。

其一，蝎子精一人大战孙悟空、猪八戒，几个小时不分胜败。

孙悟空打上门去时，蝎子精丝毫不惧，手持一柄三股钢叉，怒斥孙悟空："泼猴惫懒！怎么敢私入吾家，偷窥我容貌！不要走！吃老娘一叉！"蝎子精的容貌绝不在女儿国女王之下，乃是一绝美妖精。这位美丽而能干的女妖和诸多女强人一样，超级自信。一见孙悟空到来，她就认为孙悟空是来偷窥她容貌的。

蝎子精战斗能力超强，绝不在孙悟空之下。因洞中狭窄，加上不熟悉地形，"这大圣使铁棒架住，且战且退"。

退到洞外时，猪八戒见二人打得凶险，猴哥竟然占不到半分便宜，于是双手举起钉钯，上前帮忙。

就在此时，蝎子精忽然使出其特别神通，"呼了一声，鼻中出火，口内生烟，把身子抖了一抖，三股叉飞舞冲迎。那女怪也不知有几只手，没头没脸的滚将来”。

原来，这蝎子精竟然和红孩儿一般，领悟了三昧真火的运用方法，也能够如红孩儿一样，鼻中喷火，口中喷烟。后文中观音介绍，那蝎子精手中的钢叉，乃是她本体的一双大钳子所化。蝎子多手，因此即使面对孙悟空、猪八戒的共同挑战，也丝毫不惧。

原著中说：“三个斗罢多时，不分胜负。”这个“多时”到底是多久呢？书中说“惊天动地来相战，只杀得日月无光星斗更”。唐僧等人是在下午快黄昏时分出城，然后蝎子精趁乱擒拿唐僧。孙悟空随即跟来，双方大战。而此刻，却已经是日月无光，星斗更换，已经到了晚上。

可以说，蝎子精大战孙悟空、猪八戒，至少打了两三个小时甚至更久而不分胜败。面对孙悟空+猪八戒能有这份单挑战绩的，除了牛魔王，就只有蝎子精了。

可是，牛魔王即使拼了老命，也只能战平孙悟空+猪八戒，要想击败二人绝无可能。

蝎子精却不一样，她不但可一招退敌，并且每次绝招放出时必然得手，搞得后来孙悟空和猪八戒再不敢前去挑战。

这是为什么呢？因为蝎子精有西游世界里天尊级高手才有的大绝招。

其二，蝎子精拥有绝招“倒马毒刺”，轻易不出手，出手必伤敌。

蝎子精见天色已晚，不想因为孙悟空、猪八戒耽误了自己和唐僧的好事情，于是——

“那女怪将身一纵，使出个倒马毒桩，不觉的把大圣头皮上扎了一下。行者叫声：‘苦啊！’忍耐不得，负痛败阵而走。八戒见事不谐，拖着钯彻身而退。那怪得了胜，收了钢叉。”

孙悟空从大闹天宫开始，虽然也遭遇不少强手，可是能够弄伤他的没几个，银角大王是第一个，蝎子精是第二个。连如来和镇元大仙都拿孙悟空毫无办法。要知道孙悟空可是金刚不坏之体。

见孙悟空抱着头一脸痛苦的样子，猪八戒责备说：“哥哥，你怎么正战到好处，却就叫苦连天地走了？”孙悟空只是喊疼，沙僧还以为是孙悟空生病了，猪八戒也不明白原因。可见蝎子精出手如风，几乎是幻影一般，一击即中。

当孙悟空说出是被蝎子精扎中了头，猪八戒还嘲笑说：“只这等静处常夸口，说你的头是修炼过的，却怎么就不禁这一下儿？”孙悟空浑然不觉八戒嘲笑，郑重解释说：“正是，我这头自从修炼成真，盗食了蟠桃仙酒、老子金丹，大闹天宫时，又被玉帝差大力鬼王、二十八宿，押赴斗牛宫处处斩，那些神将使刀斧锤剑，雷打火烧，及老子把我安于八卦炉，锻炼四十九日，俱未伤损。今日不知这妇人用的是什么兵器，把老孙头弄伤也！”

可以说，孙悟空全身都如金铁，坚硬堪比法宝，而最坚固的地方，那就属头颅了。对于这铜头，孙悟空是非常自信加自豪的。他曾经让猪八戒、让狮驼岭的狮子精随便砍他的头，都不能伤其分毫。

对这次受伤，孙悟空料定是蝎子精有什么奇特的兵器才能伤他。岂料人家蝎子精是用本体尾巴上的钩子，随随便便就将孙悟空的铜头扎破了。

休整了一晚后，孙悟空才勉强可以作战。他与猪八戒二人再度去琵琶洞前叫骂。蝎子精再度出战。她这次早就摸清了虚实，知道猪八戒实力弱，于是，交手才三五个回合，就用钩子在猪八戒嘴巴上也扎了一下。猪八戒惨叫一声，立刻逃跑。书中说："行者却也有些醋他，虚丢一棒，败阵而走。"

翻遍整部《西游记》，孙悟空被打到怕，唯有这一次。

正在师兄弟三人苦恼间，观音前来。她一口道出蝎子精的来历，并且告诉孙悟空等人一个惊人的消息："他前者在雷音寺听佛谈经，如来见了，不合用手推他一把，他就转过钩子，把如来左手中拇指上扎了一下，如来也疼难禁，即着金刚拿他，他却在这里。若要救得唐僧，除是别告一位方好，我也是近他不得。"

如来一身神通，最强的就是一双手掌。那看似随手一推，本拥有无上法力。可是，在孙悟空面前无比强大的如来神掌，在蝎子精面前竟不堪一击。在蝎子精一刺之下，如来的拇指疼痛难忍。

确实，如来的手掌再坚硬，顶多不过和孙悟空的头相若。以孙悟空超强的恢复能力，在被扎四十八小时后还依然隐隐作痛。如来的手指，估计也要肿痛几天。

如来派金刚拿蝎子精，完全是小瞧人家。蝎子精即便不用倒马毒刺，也可以轻松击败四大金刚。连观音都明言："我也近她不得！"一旦近身交手，保不齐她也被蝎子精扎一下，那脸可就丢大了。

可惜，阴阳五行，相生相克。可以战平孙悟空+猪八戒、击伤如来、吓倒观音的蝎子精，在二十八宿之一的昴日星官面前，竟然不堪一击。昴日星官化身大公鸡，喔喔一叫，蝎子精就全身酥软，化成原形，动弹不得。猪八戒一脚踹在琵琶大的蝎子上，蝎子精一动不能动，遂被他一钉钯筑成了肉酱。

强大如斯的蝎子精，为何在听到昴日星官啼叫后，毫无反抗迹象，直接就死了呢？

第二十五节　暴毙疑点

若我们仔细推敲蝎子精死亡案，就可以发现其中疑点重重。在多处疑点的背后，隐藏着一个更大的秘密。

蝎子精死亡案中有四大不可解。

一不可解：昴日星官有那么强吗？

昴日星官是二十八宿之一。二十八宿在天庭群仙中，仅仅是中下层仙官。他们的上面是十二元辰，再上面还有十都、九曜、八极、七元、六司，等等。从他们的品级、地位可以看出，他们所具有的神通必然有限。

有人认为，昴日星官或许武艺不是很强，但人家有天赋神通，一物降一物嘛！

确实，二十八宿中有不少仙人的天赋神通很特别。钻破金铙的亢金龙，角非常坚硬；咬死犀牛精的井木犴，身上能散发出让犀牛恐惧的气息，等等。

那么，昴日星官的天赋神通是什么？

从蝎子精故事以及后面的蜈蚣精故事可以看出，昴日星官的本体乃是大公鸡，因此，他的天赋神通就是专门克制各类毒虫。

应该说，原著中对昴日星官的这个设定，还是比较符合生活常理。

生活中，公鸡喜欢吃各种虫子，甚至蜈蚣、蝎子这类毒虫。不过，所谓一物降一物，并非绝对。公鸡为何能克制毒虫？那是因为公鸡相比毒虫身躯庞大，且拥有锋利的爪牙，坚强的肠胃。若是一只公鸡遇上一只体型和它一般大的蝎子那该如何？至少也是鹿死谁手，尚未可知吧。

在《西游记》中，这毒敌山琵琶洞的蝎子精，极有可能是人间最强悍的蝎子类妖怪，人家连佛祖的金身都可以戳破，连观音都不敢近其身，独斗孙悟空数十回合还击伤孙悟空。如此了得的蝎子精，难道还敌不过区区一个昴日星官？

二不可解：蝎子精死得太容易了。

在对付黄花观的蜈蚣精时，孙悟空请来了毗蓝婆菩萨。她拿着一根金针，破了蜈蚣精的金光阵。那场比斗，合情合理。

蜈蚣精又叫作百眼魔君，身体上有千百只眼睛，能够放出万道金光。可是，眼睛再牛，我一针就可戳瞎你。更何况，毗蓝婆这金针本就非金非铁，乃是由她儿子昴日星官的一身锋锐阳气凝聚而成。所以，以金针刺破蜈蚣精的金光阵，合情合理。并且，毗蓝婆用出金针后，蜈蚣精只是眼睛受伤，而不是直接死亡。这也合乎情理。

反观昴日星官与蝎子精一战，蝎子精死得就太容易，甚至有点莫名其妙了。

原文说：“只见那星官立于山坡上，现出本相，原来是一只双冠子大公鸡，昂起头来，约有六七尺高，对着妖精叫一声，那怪即时就现了本相，是个琵琶来大小的蝎子精。星官再叫一声，那怪浑身酥软，死在坡前。”

昴日星官一没有近前打斗，二没有施展法宝，只是单纯啼叫了两声，然后蝎子精就现出本相，毫无反抗直接就死了。

有没有可能昴日星官施展的是一种音波攻击？不可能。如果那样的话，昴日星官就必须有天尊甚至大天尊的实力。

面对青牛精时，太上老君以至强芭蕉扇发动进攻，第一扇子使青牛精现出本相，第二扇子令其被迫抛出了金刚琢。蝎子精的功夫，比青牛精可不差。莫非昴日星官的音波攻击比太上老君最强的法宝芭蕉扇还要牛？这当然不可能。

三不可解：战场中猪八戒、孙悟空的反应很奇怪。

太上老君收青牛精时，孙悟空先是下去引逗，然后就站在太上老君身后。他也怕被芭蕉扇的攻击波及。

可是，昴日星官啼叫时，孙悟空、猪八戒处于什么位置？

当时，昴日星官站在高岗，孙悟空、猪八戒在山下与妖怪打斗。二人边打边退，转过一个石屏，孙悟空高叫：“昴宿何在？”于是昴日星官现出本相，啼叫了两声，追击而来的蝎子精就死了。

也就是说，孙悟空、猪八戒就在距离蝎子精极近的地方，仅仅是隔着一个石屏。在如此近距离的情况下，如果是昴日星官的音波攻击杀死了蝎子精，孙悟空、猪八戒一定能感受到，甚至可能会受到波及。

可是，昴日星官啼叫后，站在蝎子精附近的孙悟空、猪八戒不但没有感受到丝毫的法力波动，甚至没有意识到蝎子精已经死了。

原文说："八戒上前，一只脚翙住那怪的胸背。那怪动也不动，被呆子一顿钉钯，捣作一团烂酱。"

在《西游记》中写了多次猪八戒为抢功劳打妖怪。比如黄风岭上猪八戒一钉钯筑死了冲过来的虎先锋，还有在七绝山上孙悟空弄死了白花蟒蛇，然后把蛇尸扔下，猪八戒冲上去一顿乱筑。猪八戒这几次出手，都是觉得妖怪没死，于是想给妖怪致命一击，抢夺灭妖的功果。

孙悟空知不知道蝎子精已经死了呢？

孙悟空对许多事情都看得很开，但是对于降妖的功果绝不会轻易出让。这本就是他的本职工作。因此，只要是猪八戒截和，孙悟空必定有个说法。

虎先锋死时，孙悟空说："是老孙恼了，就与他斗将这里来，却着你送了性命。兄弟啊，这个功劳算你的。"孙悟空强调，明明是自己把虎先锋打得大败，眼看就要灭了他，却被你猪八戒抢了功劳。不过，自己不计较，这个功劳"算"你的。言下之意，功劳本是老孙的。

蟒蛇精死时，孙悟空说："呆子！他死也死了，你还筑他怎的?”孙悟空对猪八戒抢功劳的行为很愤怒，直接开骂。并且，孙悟空强调，妖怪都死了，你还打他做什么。抢功劳也不要太明显好不好！

而在毒敌山前猪八戒乱筑蝎子精时，孙悟空一言不发。只因他并不知道蝎子精已经死亡。

四不可解：观音为何不出手?

取经路上，孙悟空遇到降伏不了的妖魔，经常去找观音解难。一来，观音神通广大，实力远在孙悟空之上。二来，观音是八十一难的设计师，对各派妖魔的底细都很清楚。

可是，在蝎子精故事中，观音的表现很怪异。

与蝎子精第一战后，孙悟空三兄弟经过一夜的休整，身体基本复原。孙悟空准备再去琵琶洞挑战蝎子精。也就是说，孙悟空这时根本还没有想找别人帮忙。

就在此时，观音变成一个老太婆前来指点迷津。观音的伪装很拙劣，立刻就被孙悟空看破了。观音就现出本相，介绍起妖怪的来历。

按照常理，在介绍完妖怪后，观音就应该出手，或者灭了妖怪，或者带走妖怪。可是，在此处观音却说：“若要救得唐僧，除是别告一位方好，我也是近她不得。”

观音为何自己不出手？她的理由是自己“近她不得”。

观音有没有说自己降伏不了妖精呢？没有。

蝎子精的天赋神通倒马刺很强大，迅捷如风，并且无坚不摧，但是这神通有一个很大的缺憾——只能近身攻击。

如来、孙悟空、猪八戒都是在近距离才被蝎子精刺中的。那么，降伏蝎子精最好的法子就是扬长避短，用远距离法宝或法术攻击就可以。

那么，观音有没有远距离攻击的法宝或法术呢？有。

在孙悟空大闹天宫的时候，观音就提出："我将那净瓶抛下去，打那猴头；即不能打死，也打个一跌。"

观音手中的净瓶可非凡物，此瓶能够装下一海之水，让孙悟空也无法搬动。若观音用这净瓶来砸蝎子精，这蝎子精可没铜头铁脑，一准被砸成肉饼。

就算观音不用净瓶，直接用嘴吹蝎子精，那都可以轻松击败蝎子精。红孩儿故事中，孙悟空站在莲花船上，观音吹一口仙气，这船就直接带着孙悟空飞过了万里南海。这仙气若是吹到蝎子精身上，把蝎子精摔个七荤八素，甚至飞个八千、一万里，那都是小事。

蝎子精能刺伤如来，绝对不是说蝎子精能够正面和如来一战。像如来、观音这种天尊级别高手，分分钟就可以擒拿蝎子精。

既然昴日星官并非很强，观音又可以轻松击杀蝎子精，那为何观音还要推荐孙悟空去找昴日星官呢？

第二十六节　蝎子精后台

要想让上文四大不可解变得可解，就必须改动蝎子精已死的结论。

其实，蝎子精的死亡案是一场精心布置的骗局，她并没有死。

为何这么说呢？

我们首先要弄清楚蝎子精的真实身份。

在《西游记》中，从灵山下来的妖怪一共有三个：黄风怪、蝎子精、老鼠精。

黄风怪被佛派仙人尊为“大圣”，老鼠精享受“半截观音”的美名。他们二人的任务，一个是吹起一阵大风，方便高层放下妖怪，为取经行动铺垫；一个是下界取唐僧元阳，把唐僧牢牢控制在如来手中。

黄风怪与老鼠精生在灵山，长在灵山，下山后也依然是为取经行动效力。种种现象都可以表明，他们二位都是如来的人。

蝎子精呢？因为牵涉佛派秘闻，观音只是略微提到，在如来说法时蝎子精忽然出现，如来用手去拂，结果被蝎子精倒马刺所伤。

蝎子精是忽然出现在灵山的，在形迹泄露时，她搏命一击，竟然让“如来也疼难禁”。从此可见，蝎子精出手狠辣，毫不留情，绝非如来的人。

那么，蝎子精是谁的人？究竟是谁想要谋算如来？

在西游世界中，佛派内部分别以燃灯古佛、弥勒佛为代表的过去派、未来派两大派系，都为如来压制，会不会是他们想要谋算如来呢？

应该不是。

在西游世界中，作为当世佛派领袖，如来处事很有分寸。一方面，他压制过去派、未来派；另一方面，他也给予他们足够的尊重与充分的发展空间。比如在佛派长老会中，燃灯古佛高居榜首，如来屈居第三，弥勒佛位列第八。就连当世派的《大乘佛经》中，也包含了许多过去派的《小乘佛经》。

随着取经行动的开展，佛派不但顺利将西牛贺洲变成佛国，并且极有可能进一步发展，使佛派成为人间最大的力量。那时，燃灯古佛与弥勒佛自然水涨船高，其力量也将大增。

因此，如来掌控佛派，对过去派与未来派而言，利大于弊。他们贸然谋害如来，只能引发内部纷争，反倒便宜了外人。

那么，蝎子精是不是太上老君的人？

应该说，在西游世界中，太上老君对如来的怨念很深。若没有如来，太上老君自然可以更轻松地掌控佛派。而且取经团队一路走来，干的是兴佛灭道的事情，严重损害了太上老君在人间的力量。太上老君完全有对如来下黑手的动机。

可是，太上老君若真的想伤害如来，绝不会派蝎子精出面。

蝎子精的天赋神通确实很强大，但那只是与寻常地仙、天仙相比。在天尊级高人看来，蝎子精的实力根本不够。倒马刺再厉害，对如来来说，也不过像被蚂蚁咬了一口，虽有点疼，但绝不致命（观音说如来“疼痛难禁”，当是夸大，另有目的）。

也就是说，太上老君要想伤害如来，至少要派个天尊以上高手才行。但以如来的神通，任何人想要打杀他，都不可能毫无动静。此事一旦为第三人知道，势必闹得三界皆知。那样的话，不但玉帝可以用违犯天规之名征讨太上老君，就连潜居许久的元始天尊、灵宝天尊，都会跳出来围攻太上老君。

三界之间，小到夫妻，大到天地，都讲究阴阳调和。平衡是非常重要的。在太上老君看来，对如来必须谋算，但恶名绝不能落在自己手上。

真正可能派出蝎子精的，不是以上三方力量，而是玉帝。

乍一看，玉帝最不可能派人暗算如来。

玉帝乃是三界之主，人间万民是信佛还是信道，对于他来说都一样。这也是凤仙郡故事中，玉帝坐视凤仙郡三分之二百姓饿死的原因——人也好，鬼也罢，都是玉皇大帝的臣民。

更何况，如来是玉帝亲自任命的五方五老，取经行动也是他亲自下旨批准的官方行动。为了表示自己的诚意，玉帝甚至答应观音，给取经团队“叫天天应，叫地地灵”的权力。在取经路上，孙悟空但凡求助，玉帝无不派出神将帮忙。

但是，有一点是不容忽视的，玉帝对如来绝非完全信任。区区一个佛派，不但在人间五老中占据两个名额，控制两大部洲，并且佛派内部天尊级高人至少在五人以上。其综合实力，足以控制人间界。

玉帝需要如来的佛派力量去压制人间的道派力量，以达到对太上老君打压的目的。但是，他绝不希望如来成为第二个太上老君。

玉帝不希望如来死，但是，他希望给如来制造一点危机感，给佛派制造一点混乱。于是，他派出了神通不弱但绝对无法杀死如来的蝎子精。

蝎子精一击不中，立刻远离。在佛派一片怒火，都在嚷嚷找出幕后真凶时，如来却只是按照正常流程，派出法力平平的八大金刚下山捉拿。最后的结果可想而知——蝎子精逃之夭夭。

如来为何不亲自出马呢？他若出马，必然手到擒来。一番拷问下，必然可以问出蝎子精的幕后主使。若是觉得亲自出马有点小题大做，也可以派出观音、文殊菩萨等出马。以他们的神通，也可以抓到蝎子精。

可是，如来没有那么做。因为如来已经隐约猜到，蝎子精背后隐藏的力量是自己也无法随意招惹的大人物。与其抓到蝎子精，让彼此都尴尬，不如就此将其放过，全当一切都没发生。

人生一世，难得糊涂。在没有足够的实力将对方一击致命时，还是要好好收藏起自己的力量。

蝎子精从灵山逃走后，又为何会暴露行踪呢？而发现蝎子精行踪后，观音又为何不亲自出手呢？

第二十七节　逃生证据

明白了蝎子精的后台是谁，前文所说的四不可解，都可以得到一个合情合理的解答。

因为蝎子精是玉帝的人，于是观音没有亲自出手，而是推荐孙悟空去找昴日星官。二十八宿乃是玉帝心腹，昴日星官更是玉帝秘密部队的负责人。昴日星官不但知道蝎子精的真实身份，甚至蝎子精的刺杀命令，就是由他负责下达的。

因此，昴日星官与蝎子精一起演出了一场金蝉脱壳之戏，以蒙蔽取经团队，蒙蔽如来。

被猪八戒打烂的，只是蝎子精的一具躯壳，她的真身早就飞走了。

在原著中，有没有证据呢？

证据一：观音与玉帝早有沟通。

孙悟空询问请哪位神仙才能降伏蝎子精，观音说："去东天门里光明宫告求昴日星官，方能降伏。"昴日星官神通平平，凭啥就一定能降伏强大的蝎子精呢？只因降妖伏魔本是戏，昴日星官则是"灭杀蝎子精"这场戏早就安排好的主角。

孙悟空随后来到天上。按照常理，昴日星官应当在光明宫中办公。可是，孙悟空走到一半，"忽然"遇上了陶、张、辛、邓四大元帅。这四位告诉孙悟空，昴日星官不在光明宫。孙悟空不信，四大元帅说："小将等与他同下斗牛宫，岂敢说假？"

孙悟空前去光明宫，果然没有找到人。等到回头去观星台，则撞见了还身穿朝服、伺候圣驾回归的昴日星官。

玉帝为何召见昴日星官？

蝎子精在刺杀如来失败之后，一方面要躲避佛派的追捕，另一方面也畏惧天庭的惩罚。于是，蝎子精没有回到原来部门，而是悄悄潜藏在女儿国附近的琵琶洞中。

本来，蝎子精的行踪一直没有暴露。可惜，她抵挡不了唐僧元阳的诱惑，一心想要成就天仙，出手劫持了唐僧，于是被三十九位护法仙人发现了踪迹。

于是，玉帝和观音在第一时间都知道了蝎子精就在琵琶洞。

若观音不出现，会发生什么情况？

或者是孙悟空再次出击，打杀蝎子精；或者是孙悟空请出高人，干掉蝎子精。总之，蝎子精会被取经团队降伏。这对于玉帝来说，是一件大伤颜面的事。

蝎子精可以死，但必须死在玉帝的手上。因此，观音在第一时间禀奏玉帝，请示解决办法。然后，她下凡变化成老婆婆，指点孙悟空去找昴日星官。玉帝在同一时间召见昴日星官，交代如何处置蝎子精。

天庭的时间流速相比人间快很多，当孙悟空来临时，昴日星官极有可能还在接受玉帝旨意。因此，玉帝派出四大元帅中途拦截孙悟空，并使孙悟空去光明宫、观星台寻找——其实，昴日星官根本不在这两个地方。此举只是为了耗费一些孙悟空的时间。

孙悟空见到昴日星官后，介绍种种情况，请昴日星官下界降妖。按照天规，昴日星官必须禀奏玉帝，才能下界，否则就是擅离职守。可是，昴日星官说："本欲回奏玉帝，奈大圣至此，又感菩萨举荐，恐迟误事，小神不敢请献茶，且和你去降妖精，却再来回旨罢。"

擅离职守、私自下凡乃是天庭大罪，昴日星官竟然毫不迟疑地跟随孙悟空走了。昴日星官非常会说话，他强调，自己愿意犯天规是因为看在孙悟空、观音的面子上。孙悟空一听大喜，对昴日星官很是感激。

其实，玉帝早把一切说明，昴日星官就只等孙悟空前来而已。

证据二：昴日星官有蝎子精的解毒秘方。

昴日星官来到琵琶洞前，见到猪八戒一直在哼哼，嘴上肿了好大一块，便走上前吹了口仙气，摸了摸，结果猪八戒就不疼了。孙悟空一看，说自己的头也疼。昴日星官说：“你未遭毒，摸他何为？”孙悟空诉说经过，强调脑袋还有些麻痒。昴日星官也摸了摸，吹了口仙气，结果孙悟空的头也不麻不痒了。

蝎子精的毒乃是三界罕见的奇毒，连如来中了，都没有解毒之法。这昴日星官为何摸一摸，吹口仙气就能解毒呢？

俗话说：毒蛇出没七步之内，必有解药。天地万物讲究一个平衡，毒药与解毒药常常相伴相生。这昴日星官能解蝎子精奇毒，与蝎子精必然有联系。

在后文蜈蚣精故事中，唐僧师徒中了蜈蚣精的毒药，情况危急，是昴日星官的母亲拿出了解药，救活了唐僧，带走了蜈蚣精。

因此，我认为，这蝎子精也好，蜈蚣精也罢，都是昴日星官在光明宫中秘密培养的毒虫类仙人。他们专门负责执行一些见不得光的任务，或者是暗杀，或者是监视。

昴日星官本身并不会解毒。若他真的能看病、会解毒，为何看不出孙悟空也中了蝎毒？

为了更好地控制这类毒虫类仙人，天庭必定会采取相应的措施，比如研制出相关的解毒药。昴日星官正是拥有蝎毒的标准解药。他在吹口仙气前，还要用手摸一摸，这是因为仙气其实没有作用，有用的是手上早就涂抹好的解药。

证据三：蝎子精当是解尸而去。

对于蝎子精，玉帝是什么态度呢？是想让蝎子精活，还是想让蝎子精死？当然是想让蝎子精活。

只要玉帝不出手，蝎子精必然会死去。玉帝既然特别交代昴日星官，那么，必然是不想让蝎子精轻易死去。

蝎子精的暗杀技能何等强大，若假以时日对其苦心培养，一旦她晋级成为天仙，那么，别说是暗杀天尊级别的仙人，就是大天尊都有可能伤在她的倒马刺之下。像蝎子精这类能够越级挑战，尤其还是超越大境界挑战的强悍刺客，极具培养价值。

以蝎子精的智慧，她不可能不明白，自己出手掳走唐僧，可能会惊动如来，惊动玉帝。她明明知道后果，却没有逃逸。只因为，她知道逃无可逃。

见到昴日星官后，蝎子精就已经明白了自己的归宿。相比被佛派仙人打死，还不如回归天庭，继续做一个杀人傀儡。

至于怎样逃脱孙悟空等人的视线，那非常简单。在妖界有一种非常常见的法术叫作“解尸法”。这个法术白骨精用过，红孩儿也用过。即丢下一具尸体，元神出窍，隐藏了起来。孙悟空在没有施展火眼金睛的情况下，没有看破白骨精与红孩儿的解尸法，在此处，自然也看不破蝎子精的解尸法。

这才是明明距离蝎子精很近，孙悟空与猪八戒却丝毫没有感受到法术波动，根本没有意识到蝎子精已经“死了”的原因。

蝎子精回归天庭后，可能会受到一定的惩罚，但必然能存活下去。在百千年后，蝎子精的实力必然更加强大。

光明宫犹如玉帝麾下的锦衣卫、东厂，昴日星官是锦衣卫统领或厂公，蝎子精则是锦衣卫、东厂的一把杀人利剑。

第二十八节　唐僧“好色”

蝎子精驾风掳走唐僧后，其实对唐僧挺好，唐僧也对她颇有好感。虽然还谈不上喜欢，更不是爱，但比起面对女儿国女王，唐僧已经从容许多。

有哪些地方可以证明，唐僧对蝎子精其实比对女儿国女王还要好呢？

其一，饮食。

在女儿国王宫，女王准备了盛大的宴席。这场宴席既是唐僧与女王的婚宴，也是孙悟空三兄弟的饯别宴。宴席上，猪八戒敞开肚皮，大吃了一顿。女王也频频举杯，兴致极高。唐僧呢？整场宴席他根本就没有动筷子。只是在女王举杯祝酒后，孙悟空对他挤眉弄眼、百般暗示下，唐僧才回敬了女王一杯酒。

在琵琶洞中，蝎子精很贴心，准备了一荤一素两碟点心。荤的是人肉馅的包子，素的是豆沙馅的包子。西牛贺洲的许多僧人都是吃荤的，故此，蝎子精准备了两种。

蝎子精告诉唐僧说：“且休烦恼。我知你在女国中赴宴之时，不曾进得饮食。这里荤素面饭两盘，凭你受用些儿压惊。”

按照常理，唐僧应该态度鲜明地拒绝妖怪的食物，甚至应该高昂头颅，摆出鄙视的姿态拒绝与妖怪说话才对。让人大跌眼镜的是，唐僧不但吃了豆沙馅的包子，还拿了一个人肉馅的包子送到蝎子精嘴边，请蝎子精吃。

其二，交谈。

在女儿国王宫中，绝大多数时候都是女王在吩咐百官，发号施令。与唐僧交谈时，也是女王主动挑起各种话题，比如询问唐僧的身世、来历、取经经过等。每次唐僧的回答都是机械性的、毫无情感的，只有寥寥数句，敷衍应付。

在琵琶洞呢？唐僧和蝎子精不但有问有答，并且话语间隐然包含挑逗之意。原文如下：

“那怪将一个素馍馍劈破，递与三藏。三藏将个荤馍馍囫囵递与女怪。女怪笑道：‘御弟，你怎么不劈破与我？’三藏合掌道：‘我出家人，不敢破荤。’那女怪道：‘你出家人不敢破荤，怎么前日在子母河边吃水高，今日又好吃邓沙馅？’三藏道：‘水高船去急，沙陷马行迟。’”

这段话中唐僧的两句回答都有些莫名其妙，晦涩难懂。不过，我们紧扣语境，就可以发现，唐僧与蝎子精这一问一答间，语意无穷，极有情味。

唐僧为何说自己不敢“破荤”？

唐僧回答得很奇怪。人家蝎子精只是让你把包子劈开，这和破荤戒有什么关系呢？

只因唐僧口中的“破荤”不仅仅是吃荤，更是指破戒。

蝎子精的意思是，唐僧已经吃了自己送出的包子，就等于接受了自己的心意。那么，作为回馈，唐僧也当如自己一样，把包子劈开。唐僧却强调，我接受的只是豆沙包，而不是你的情义——我可不会破色戒。

蝎子精立刻反问，你说你没破荤犯戒，为何前几天在子母河边“吃水高”，今天又吃了邓（豆）沙馅的包子呢？

后半句很好理解。在蝎子精看来，唐僧接受了豆沙包，就说明已经动心，已经犯下了色戒。

前半句呢？关键在“水高”。这“水高”当作“水膏”，即甘甜的水。联系前文，所谓“吃水高”，就是喝子母河中甘甜的水。

这喝子母河的水与破戒有什么关系呢？

只因喝了子母河的水，唐僧立刻就怀上了胎。也就是说，唐僧当时的肚子中已经孕育了一个小生命。可是，唐僧喝了落胎泉水，把孩子打掉了。换言之，唐僧杀死了小生命，犯下了杀戒。

唐僧另一句“水高船去急，沙陷马行迟”如何理解呢？

表面意思是：因为水浪高所以船走得急，因为有流沙所以马走得迟。很明显，这句话牛头不对马嘴。但正是这不可解的回答，暴露了唐僧的内心。

因为蝎子精的一番话击中了唐僧要害，让唐僧羞愧难当，于是他只得强装糊涂，歪解句意，以求蒙混过关。

其三，孙悟空的反应。

在女儿国，孙悟空总是替唐僧做主，指挥唐僧做这做那。

听闻女王邀请他同乘銮驾，原文说：“这长老战兢兢立站不住，似醉如痴。行者在侧教道：‘师父不必太谦，请共师娘上辇，快快倒换关文，等我们取经去罢。’长老不敢回言，止不住落下泪来，行者道：‘师父切莫烦恼，这般富贵，不受用还待怎么哩？’三藏没及奈何，只得依从，揩了眼泪，强整欢容，移步近前。”

面对女王的邀请，唐僧不是欢欣鼓舞，不是喜笑颜开，而是战战兢兢，泪如雨下。孙悟空见唐僧如此不情不愿，生怕影响了自己的计划，于是再三催促唐僧前往，尽量配合女王行事。

孙悟空之所以如此，一个重要的原因，就是他明白唐僧对女儿国女王一点感觉都没有。

在琵琶洞中，孙悟空的表现则完全不同。

原文说：“行者在格子眼听着两个言语相攀，恐怕师父乱了真性，忍不住，现了本相。”

后来，孙悟空把整件事情转述给猪八戒、沙僧时，依然强调自己是怕师父乱了真性，于是才出手的。从此可见，孙悟空是认为唐僧确实动了心，担心唐僧把持不住，这才出手提醒。

孙悟空并没有冤枉唐僧。对于蝎子精，唐僧确实有一点点动心。只是，这情刚刚萌芽，就被孙悟空一棒子打杀。正因孙悟空的出手，唐僧才对蝎子精改变了态度。此后，蝎子精百般诱惑，甚至脱了衣服来色诱，但唐僧都坚持到了最后。

是因为唐僧一心取经，佛性深厚？根本不是。

开始时唐僧曲意迎合蝎子精，只因妖怪是忽然出现，之后驾狂风将唐僧掳走的。孙悟空三兄弟一路猛追，但还没有找到妖怪巢穴。从前文中我们知道，这蝎子精的出场，并非观音安排，所以保护唐僧的三十九位护法神一样不知道琵琶洞在何处。

也就是说，在唐僧被掳进洞的开始，唐僧是属于自由身。可等到孙悟空出现后，唐僧明白，自己再一次进入了聚光灯下，三十九位隐身的保护神立刻就会找到他了。

在群仙监督下，唐僧一旦破戒，那可就是死无葬身之地，因此，唐僧只能咬牙忍着。

逃出琵琶洞后，唐僧师徒继续西行。没走多远，就遇上一个与孙悟空一模一样的妖怪六耳猕猴。这六耳猕猴棒打唐僧，夺走行李，竟想自己去取经，于是引发一场真假美猴王的激斗。

真假美猴王到底怎么回事呢？

第二十九节　悟空古怪

取经行动至真假美猴王一事时动静搞得挺大，孙悟空为了讨个说法，遍访天界、人间、冥界，惊动了观音、玉帝、地藏王、如来。可以说，这个公案是整部《西游记》最大的公案。不过，无论事情如何复杂，我们只要抓住主线，就可以提纲挈领，拨开迷雾，看到真相。

这个主线，就是孙悟空。

只要我们看清楚真假美猴王出现前后，他们说了什么、做了什么，想明白他们如此言行的目的是什么，那么，真假美猴王的谜案就可以迎刃而解。

先讲假美猴王出现之前真美猴王的种种举动。

孙悟空、猪八戒在昴日星官的帮助下将蝎子精打杀后，救出了唐僧，师徒四人再次踏上征途。

之后，唐僧孤身一人，骑马先行，遭遇人类强盗打劫。唐僧推说徒弟孙悟空有钱，逃得一死。之后，孙悟空将唐僧救出后，把其中的两个强盗打死了。唐僧见孙悟空杀人，心中愤怒。后来，师徒四人在一个姓杨的老汉家中吃饭、借宿。晚上，杨老汉的儿子回家——他儿子竟然就是白天的劫匪之一。杨老汉的儿子听说唐朝和尚就在自己家中，就招呼群盗，准备干掉唐僧一行。杨老汉急忙将唐僧放走。唐僧师徒走了一会，强盗追了上来。孙悟空留下断后，将所有强盗全部打死。

以上，就是原著第五十六回的主要内容。

乍一看，这一回的内容和当初孙悟空初次拜唐僧为师不久时，遭遇六贼抢劫，孙悟空发威将强盗全部打死，唐僧大怒要将孙悟空赶走那一段故事几乎一模一样。但是，若我们细细看本回，就会发现，在同样的虎皮裙、锦布直裰下的孙悟空与以前完全不同。

第五十六回的孙悟空，言谈举止相当怪异。简单归纳，有五大奇怪之处。

第一处，挥棒打马。

猪八戒走了一天，肚子很饿了，想要走快些，赶到下一个村庄投宿，化点斋饭，睡个饱觉。可是，唐僧骑着白龙马，看着春花灿烂，优哉游哉，一点也不着急。猪八戒放下担子，让沙僧帮忙挑一会。他则抄起九齿钉钯，做出要打白龙马的样子。没想到白龙马丝毫不惧，依然是缓步徐行，保持着优雅的姿态。

猪八戒向猴哥诉苦，孙悟空听了，把金箍棒拿在手中，喝了一声，那白龙马竟然就往前方直蹿了出去。

书中是如何解释白龙马怕孙悟空的呢？“你说马不怕八戒，只怕行者，何也？行者五百年前曾受玉帝封在大罗天御马监养马，官名弼马温，故此传留至今，是马皆惧猴子。”

孙悟空曾当弼马温，学得一手御马的好手段，其实只是白龙马怕孙悟空的一个原因。更主要的原因是，一直以来猪八戒都在打白龙马的主意，而孙悟空则一直维护白龙马。

在原著第二十三回时，猪八戒抱怨挑担太辛苦，提议让白龙马来驮。马驮行李，天经地义嘛。孙悟空却告诉猪八戒，白龙马乃西海龙王三太子，那也是仙人中的贵族。何况，当初观音招募白龙马的时候就谈好了，白龙马只是充当脚力，只驮唐僧，不干别的。这叫作各人都有各人的功果，攀咬不得。

那么，这次孙悟空为何要吓唬白龙马呢？孙悟空就是要再一次证明，猪八戒再努力也做不到的，他轻易就可以做到。

唐僧的单独前行，为后文遭遇强盗埋下伏笔。

第二处，存心杀人。

在五行山下遭遇六贼时，孙悟空奋起反抗，将六贼杀死。本回中，孙悟空则是存心激怒强盗，从而“被逼无奈”将强盗杀死。

孙悟空登上高坡，看到前方强盗将唐僧吊起时，他不是着急上火，而是心中暗喜说：“造化，造化！买卖上门了！”

孙悟空怎么做的呢？他变成一个小和尚，背着一个大包袱上前，告诉强盗，只要放了唐僧，包袱里的几十锭金银都送给强盗。强盗大喜，将唐僧放了。本来，以孙悟空的手段，完全可以用个障眼法，将什么石头瓦块变成金银，避过这场劫难。可是，孙悟空没有这么做。

等唐僧走后，孙悟空告诉强盗，自己的钱一分也不能给，不但不给钱，还要强盗把抢劫来的钱分给他一份。众位强盗大怒，纷纷上前拿刀乱砍孙悟空，孙悟空则岿然不动，任他们砍。等到众强盗人人胆寒时，孙悟空出手，两棍子把两个强盗头子打得脑浆迸裂。

唐僧在临走时已经交代孙悟空不要伤生，见到猪八戒、沙僧后，他又立刻让八戒上前，提醒孙悟空切莫杀人。按照常理，孙悟空知道唐僧不喜欢他杀人，那么，在自己打死人命后，当稍稍处理现场，把尸体掩埋起来，以避免与师父的矛盾激化。

可是，孙悟空不但没有这么做，反而在猪八戒赶到时，特意提醒他去观看倒在地上的尸体。

看原文，颇有趣味——

“八戒道：‘那强盗往那里去了？’行者道：‘别个都散了，只是两个头儿在这里睡觉哩。’八戒笑道：‘你两个遭瘟的，好道是熬了夜，这般辛苦，不往别处睡，却睡在此处！’呆子行到身边，看看道：‘倒与我是一起的，干净张着口睡，淌出些粘涎来了。’行者道：‘是老孙一棍子打出豆腐来了。’八戒道：‘人头上又有豆腐？’行者道：‘打出脑子来了！’八戒听说打出脑子来，慌忙跑转去，对唐僧道：‘散了伙也！’”

猪八戒还不知道孙悟空的脾气？孙悟空说两个强盗头儿在地上睡觉，猪八戒就说人家是熬夜辛苦，还睡得很香，口水都流了出来。猪八戒早已经默认了取经团队第三人的地位，因此顺着孙悟空说话，帮孙悟空圆谎。是孙悟空在强调强盗头子被自己打出脑浆来了。

孙悟空为何如此做？显然另有目的。

第三处，霸气介绍。

唐僧得知孙悟空打死人命后，没有念《紧箍咒》，也没有提赶走孙悟空的事情。若孙悟空不多嘴，唐僧也就是唠叨几句就算了，师徒二人绝对不至于撕破脸。

可是，孙悟空又连续做了几件事情，对唐僧一再催逼，迫使唐僧不得不翻脸。

唐僧焚香祷告，为强盗头子超度亡魂。唐僧的超度词也很有意思。他说："拜惟好汉，听祷原因：念我弟子，东土唐人。奉太宗皇帝旨意，上西方求取经文。适来此地，逢尔多人，不知是何府、何州、何县，都在此山内结党成群。我以好话，哀告殷勤。尔等不听，返善生嗔。却遭行者，棍下伤身。切念尸骸暴露，吾随掩土盘坟。折青竹为香烛，无光彩，有心勤；取顽石作施食，无滋味，有诚真。你到森罗殿下兴词，倒树寻根，他姓孙，我姓陈，各居异姓。冤有头，债有主，切莫告我取经僧人。"

唐僧为何要祈祷？不是因为他心中慈悲，而是他要告诉强盗头子，死了之后到了地府，若是告状千万记得只告孙悟空，别牵连他唐僧陈玄奘。

孙悟空为何杀人？那是为了救唐僧。别人都可以骂孙悟空滥杀无辜，唯独唐僧不行。唐僧如此无情，把责任都推到孙悟空身上，连猪八戒都看不下去了。猪八戒说："师父推了干净，他打时却也没有我们两个。"

唐僧也搞笑，竟然真的接着祈祷说："好汉告状，只告行者，也不干八戒、沙僧之事。"

见到唐僧的行为如此龌龊，孙悟空虽大怒，可表现在脸上却是笑意盈盈。他也学唐僧，大声宣读自己的祈祷词。孙悟空说："遭瘟的强盗，你听着！我被你前七八棍，后七八棍，打得我不疼不痒的，触恼了性子，一差二误，将你打死了，尽你到那里去告，我老孙实是不怕：玉帝认得我，天王随得我；二十八宿惧我，九曜星官怕我；府县城隍跪我，东岳天齐怖我；十代阎君曾与我为仆从，五路猖神曾与我当后生；不论三界五司，十方诸宰，都与我情深面熟，随你那里去告！"

虽然孙悟空有点自恋，动辄想当年大闹天宫如何，可看人家这番自我介绍，那是句句属实。这份嚣张霸气，三界之内，除了孙悟空，还真没有第二人。

第四处，吓唬唐僧。

孙悟空明明犯下杀生之错在先，却态度强硬，死不认错，明摆着是逼着唐僧先翻脸。可唐僧就是个欺软怕硬的主儿，听孙悟空如此说，心惊胆战，再不敢责备。唐僧解释说："徒弟呀，我这祷祝是教你体好生之德，为良善之人，你怎么就认真起来？"大家看看，徒弟杀了人不认错，师父责备了几句反倒要向徒弟道歉。

唐僧嘴上不敢说，可心中肯定极度悲愤——我堂堂大唐御弟、如来二弟子，咋就混得这么惨呢？

可是，取经路上降妖捉怪都要靠孙悟空。这一点，是经过了无数次验证的。因此，唐僧只有打掉牙往肚里咽。

唐僧的让步并没有彻底解决矛盾。原文说：“孙大圣有不睦之心，八戒、沙僧亦有嫉妒之意，师徒都面是背非，依大路向西正走。”

在杨老汉初次见到孙悟空三人时，吓得倒退，说：“爷爷呀，一个夜叉，一个马面，一个雷公！”若是在以前，孙悟空必定嘱咐猪八戒、沙僧收拾起丑态，然后安慰人家，说他们三兄弟面貌虽丑，可都是好人。此前的许多次，孙悟空不都是这么做的吗？

可这次，孙悟空厉声高叫说：“雷公是我孙子，夜叉是我重孙，马面是我玄孙哩！”杨老汉听了，吓得魂飞魄散，面容失色。其实，孙悟空这话是说给唐僧听的。他孙悟空在仙界地位尊贵，所谓天庭神将雷公、海中大将夜叉、冥府鬼官马面就如同孙辈，相比他，地位卑微之极。

后来，杨老汉说起儿子不孝，经常抢劫。孙悟空凶相暴露说：“老官儿，似这等不良不肖、奸盗邪淫之子，连累父母，要他何用！等我替你寻他来打杀了罢。”杨老汉吓了一跳，连忙说：“我待也要送了他，奈何再无以次人丁，纵是不才，一定还留他与老汉掩土。”一旁的猪八戒、沙僧连忙打圆场，提醒孙悟空，杨老汉的儿子虽然作恶，但他毕竟是人类，自有人间官府的王法管束。作为仙人，是不适合过多干预世俗界事务的。

后来，杨老汉的儿子与群盗追杀唐僧，孙悟空主动提出断后。唐僧再次提醒，切莫伤人。人家杨老汉可是好心留他们师徒吃饭、睡觉，还在群盗动手杀他们前偷偷传话，放走了他们。按照常理，即便杨强盗该死，也该念及杨老汉的恩情，放人家一马。

孙悟空怎么做的呢？他拿出金箍棒，一顿乱打，把几十个强盗全部打伤打死。孙悟空喝问一个还没断气的强盗，哪个是杨老汉的儿子。强盗告诉说，是穿黄衣服的。看原文：

“行者上前，夺过刀来，把个穿黄的割下头来，血淋淋提在手中，收了铁棒，拽开云步，赶到唐僧马前，提着头道：‘师父，这是杨老儿的逆子，被老孙取将首级来也。’三藏见了，大惊失色，慌得跌下马来，骂道：‘这泼猢狲唬杀我也！快拿过，快拿过！’”

这一段文字中的孙悟空，简直就是杀人魔王重生，变态得可以！师父让他别杀生，他一口气杀死几十个人。杨老汉祈求他留个儿子给他送葬，他不但将其杀死，还把头割了给唐僧看。唐僧的小心脏，估计当时的跳跃速度绝对超过一百五，这才会一下子吓得摔落马去。

连猪八戒都看不过眼，一脚踢飞头颅，然后在路边挖土将其安葬。沙僧也一脸愤怒，连忙上前扶起师父。

第五处，竟不求饶。

在这样的刺激下，唐僧才念动《紧箍咒》。孙悟空疼痛难忍，说：“有话便说，莫念，莫念！”孙悟空摆出一副死猪不怕开水烫的样子。在这种羞辱下，唐僧说：“没话说，我不要你跟了，你回去罢！”孙悟空磕头说：“师父，怎的就赶我去耶？”孙悟空并非求情，而是要唐僧给个理由。

唐僧把理由说了，就是前面提到的杀生害命等。我们回想“三打白骨精”一回，唐僧要赶孙悟空时，孙悟空或者威逼利诱，或者软语哀求，可谓想尽了办法。而这一次呢？孙悟空竟然啥也没说就告诉唐僧：“莫念，莫念！我去也！”说声去，他一个筋斗云，无影无踪，遂不见了。

孙悟空为何如此呢？只因上一次是唐僧要赶走孙悟空，因此孙悟空处处被动，再三恳求。这次却是孙悟空主动激怒唐僧，让唐僧不得不赶走他。

那么，是什么导致孙悟空的这一变化呢？激怒唐僧，对孙悟空有何好处呢？

第三十节　女王无心

很多时候，我们很容易被表面现象迷惑，而忽略了背后的真相。

我们回顾一下“三打白骨精”故事中，唐僧为何要赶走孙悟空？表面上看，是因为孙悟空连续三次杀死了无辜人类，其实真正的原因是孙悟空连续几次坑了唐僧（“四圣试禅心”以及“大闹五庄观”）。在唐僧看来，猪八戒再懒，那也是忠于自己的。孙悟空虽能干，却处处与自己作对。这样动辄挑衅上级威权的下属，要来何用？于是，师徒矛盾不断激化，最终爆发。

那么，这一次呢？和上次不同，这次是孙悟空主动惹事，激怒唐僧，逼着唐僧把自己赶走。

孙悟空得失心疯了吗？不想混了吗？取经一路走来，孙悟空出力最多，眼看都已经走了大半，他为何还要搞这么一出呢？到底是什么人、什么事，刺激了孙悟空呢？

其实，若我们仔细看原著，就会发现，孙悟空的失常不单在第五十六回，早在擒拿蝎子精的时候就已经不正常了。

按照常理，唐僧被抓时，孙悟空三人就在当场，以孙悟空筋斗云的无敌速度，怎么会追不上蝎子精？何况蝎子精可是带着一个肉体凡胎的人类唐僧，只能贴着地弄阵风卷着走。可事实是，孙悟空并没有抢先去追，而是和猪八戒、沙僧一起，不紧不慢地赶去。到了山中，发现一座妖怪洞府。猪八戒举起钉钯，上前就砸门。孙悟空却让八戒不忙，他先变化了，入洞去打听打听。

孙悟空在干什么呢？救人如救火，从来急性子的孙悟空，何时变得这么磨叽了呢？

进了洞府，孙悟空看到一个美女妖精正在和唐僧调笑。他看到唐僧面黄唇白，心中想："师父中毒了。"蝎子精是会用毒，但她那毒若是用一点在唐僧身上，唐僧早就死八回了。孙悟空其实是说，唐僧就要被女色给迷惑了。

果然，蝎子精和唐僧聊天，一问一答貌似很和谐，孙悟空大怒。出洞府后，孙悟空如何向猪八戒、沙僧转述的呢？原文说："师父始初不与那妇人答话，也不吃馍馍，后见他甜言美语，不知怎么，就开口说话。我在格子上听见，恐怕师父乱性，便就现了原身，掣棒就打。”

唐僧为何开始不说话，后来又和妖怪对答呢？原文有段心理独白说：“此怪比那女王不同，女王还是人身，行动以礼；此怪乃是妖神，恐为加害，奈何？”正因如此，唐僧不敢不答话。

可是，唐僧的苦衷，孙悟空一点不理解。在他看来，是唐僧求佛之心不坚定，被美色迷惑，才会回答妖精的问话。

之后，蝎子精大败孙悟空、猪八戒，然后回洞府去了。

猪八戒催促孙悟空再去挑战，孙悟空却说，眼看天色已晚，今天就休息了，救师父的事情明天再说。孙悟空还说：“倘若被他哄了，丧了元阳，真个亏了德行，却就大家散火；若不乱性情，禅心未动，却好努力相持，打死精怪，救师西去。”

一贯偷懒怕事的猪八戒看不过去，说：“这等说，便我们安歇不成？莫管什么黄昏半夜，且去他门上索战，嚷嚷闹闹，搅他个不睡，莫教他捉弄了我师父。”

可是，孙悟空说：“头疼，去不得！”很明显，猴哥在说，要去你去，我是不去。以猪八戒的战力，二十个也斗不过蝎子精。看到大师兄态度如此坚决，沙僧只好打个圆场说：“不须索战。一则师兄头痛，二来我师父是个真僧，决不以色空乱性。且就在山坡下，闭风处，坐这一夜，养养精神，待天明再作理会。”

唐僧还是很不错的，在美色面前，最终还是把持住了。当然，唐僧能够把持住，不完全是他的定力好、道心坚，而是因为“四圣试禅心”的考验在前。唐僧可拿不准这蝎子精会不会又是菩萨派出的一次试炼呢？只要守住元阳，那百分百有一个佛级果位等着他。何况，取经都走了大半了，可不能前功尽弃。

经过这么多年的磨炼，唐僧对取经的利弊早已明白。却也奇怪，蝎子精见唐僧坚持，竟然也就不纠缠了。

唐僧被救后，十分欢喜，一口一个“贤徒”称呼孙悟空。猪八戒和沙僧也很懂事地将孙悟空之前有意不积极营救唐僧之事选择性遗忘了。

究竟是什么事情让孙悟空不积极营救唐僧的呢？我们再往前看。

女儿国朝堂上，女王牵着唐僧的手，走上大殿。之后，女王坐在龙床上，拿了一把金交椅让唐僧坐在一边。孙悟空让沙僧拿出通关文牒。

按照当初孙悟空定下的计策，是让唐僧假意答应女王求亲，使得女王加盖通关文牒，然后，唐僧以送孙悟空三人出城为由，一起出城离开。这个设计自然是天衣无缝。

孙悟空虽然法力通天，但是并不能随意对凡人使用。孙悟空曾对唐僧解释，若是用强，他自然也有办法让女王盖印放行，可那样就少不得打杀人命，制造罪愆。若唐僧答应求亲，女王自然放行。出城时，孙悟空使个定身法，将女王等人定住。等唐僧师徒走一天后再解开咒语，一切就可以完事。

唐僧听了大喜——大家看看，此时的孙悟空，还是很看重人命，很为师父着想的。

究竟是什么地方出现了问题呢？

就在孙悟空双手献上通关文牒后。原文说：“那女王细看一番，上有大唐皇帝宝印九颗，下有宝象国印，乌鸡国印，车迟国印。女王看罢，娇滴滴笑语道：‘御弟哥哥又姓陈？’三藏道：‘俗家姓陈，法名玄奘。因我唐王圣恩认为御弟，赐姓我为唐也。’女王道：‘关文上如何没有高徒之名？’三藏道：‘三个顽徒，不是我唐朝人物。’女王道：‘既不是你唐朝人物，为何肯随你来？’三藏道：‘大的个徒弟，祖贯东胜神洲傲来国人氏，第二个乃西牛贺洲乌斯庄人氏，第三个乃流沙河人氏。他三人都因罪犯天条，南海观世音菩萨解脱他苦，秉善皈依，将功折罪，情愿保护我上西天取经。皆是途中收得，故此未注法名在牒。’女王道：‘我与你添注法名，好么？’三藏道：‘但凭陛下尊意。’女王即令取笔砚来，浓磨香翰，饱润香毫，牒文之后，写上孙悟空、猪悟能、沙悟净三人名讳，却才取出御印，端端正正印了，又画个手字花押，传将下去。”

女王对唐僧一片爱慕，故特别关注到唐僧又叫陈玄奘。女王随口问，通关文牒上为何只有唐僧一人的名字，而没有三个徒弟的名字。唐僧也随口解释，他们三个都不是唐朝人，都是中途加入的。

女王和唐僧这随意的一问一答，听在旁人耳中，不过是几句闲话，可是听在孙悟空耳中，却犹如五雷轰顶一般。

孙悟空这个人，是非常看重“名”的。弼马温本是天庭一个殿阁（部门）神官，可因为名声不好（给玉帝养马），孙悟空就撂挑子不干了。后来，玉帝给他一个有名无实的齐天大圣，孙悟空此后半辈子逢人就开口“大闹天宫”，闭口“齐天大圣”。只因，这件事情，这个官职，是孙悟空一生的骄傲。

孙悟空为何要参加取经？为何要多次和唐僧争夺取经团队主事人的位置？因为被天庭抛弃了的孙悟空希望在佛派重新得到认可，得到一个相当于齐天大圣的职位，即拥有佛位。

可是，女王的随口一问，让孙悟空明白了，原来取经任务只是唐僧一个人的事。若有功劳，都归唐僧一个人。因为，取经的通关文牒（游戏通关凭证，这可不就是功劳簿吗）上连孙悟空的名字都没有。

不过，以前是没有，现在却有了。女儿国女王在通关文牒上加上了他孙悟空（当然还有猪八戒、沙僧）的名字。也就是说，孙悟空正式成为取经团队不可或缺的成员了。

孙悟空会高兴吗？

若孙悟空头脑简单些，会很高兴。可孙悟空是个七窍玲珑之人，他自然明白，虽然女儿国女王可以在通关文牒上增加名字，可是无法在如来那儿增加名字。真正的评审大权，掌握在如来那里呢！

如何才能改变尴尬的现状呢？

第三十一节　悟空谈判

前文说道，女儿国女王的无心之举让孙悟空意识到自己的处境相当尴尬：他拼死拼活降妖除魔，可功劳簿上连他的名字都没有。

孙悟空好不气恼，于是才有了后来对唐僧的厌恶与恼恨。

有读者会说，那照你的意思，真假美猴王就是孙悟空自编自导的喽？我觉得不是，至少不完全是。

孙悟空很聪明，若不聪明也不能十年就勘破天机，修成天仙，若不聪明也不能纵横三界，得享大名。不过，孙悟空虽然聪明，但比之观音、如来等的老谋深算，玉帝、太上老君等的心机深沉，还是大大不如。总体上来说，孙悟空的行事还是光明磊落的。

真假美猴王这出闹剧，若非有权谋大师级别的观音加入，绝不可能产生，更不可能成功。

从哪里可以看出孙悟空并非真假美猴王谜案的主谋？我们看原文：

“却说孙大圣恼恼闷闷，起在空中，欲待回花果山水帘洞，恐本洞小妖见笑，笑我出乎尔反乎尔，不是个大丈夫之器；欲待要投奔天宫，又恐天宫内不容久住；欲待要投海岛，却又羞见那三岛诸仙；欲待要奔龙宫，又不伏气求告龙王。真个是无依无倚，苦自忖量道：‘罢，罢，罢！我还去见我师父，还是正果。’”

书中明确交代，孙悟空虽然不满懦弱的唐僧将独享佛位，但是对激怒唐僧之后何去何从并没有盘算好。正如孙悟空所想，三界皆知他已经归入佛派，拜在唐僧门下，参与取经大业，如今他若中途而归，猴妖会看不起他，天庭将不容他，而他和三岛仙人的交情本就寻常，龙王虽然善待他，但他不大看得起龙王。

因此孙悟空才会左思右想、瞻前顾后，觉得三界虽大，但无处可去。无可奈何之下，他再次去见唐僧。但是，他这次去见唐僧，问题不但没有解决，反而把矛盾更加激化。原文说：

“遂按下云头，径至三藏马前侍立道：‘师父，恕弟子这遭！向后再不敢行凶，一一受师父教诲，千万还得我保你西天去也。’唐僧见了，更不答应，兜住马，即念《紧箍咒》，颠来倒去，又念有二十余遍，把大圣咒倒在地，箍儿陷在肉里有一寸来深浅，方才住口道：‘你不回去，又来缠我怎的？’行者只教：‘莫念，莫念！我是有处过日子的，只怕你无我去不得西天。’三藏发怒道：‘你这猢狲杀生害命，连累了我多少，如今实不要你了！我去得去不得，不干你事！快走，快走！迟了些儿，我又念真言，这番决不住口，把你脑浆都勒出来哩！’大圣疼痛难忍，见师父更不回心，没奈何，只得又驾筋斗云，起在空中，忽然省悟道：‘这和尚负了我心，我且向普陀崖告诉观音菩萨去来。’”

孙悟空这次回转拜见唐僧是相当不明智的。品味孙悟空的话语，我们可以看出，猴哥是强压心中怒火，勉强向唐僧低头的。表面上看起来他恭恭敬敬，其实言语中尽是桀骜不驯。哪里可以看出呢？

其一，径直走到唐僧马前侍立，而非扑通跪在师父面前；其二，口中说“千万还得我保你西天去也”，言下之意，没我不行啊！

唐僧呢，刚刚受到孙悟空羞辱（用血淋淋的人头吓得他跌下马），怎么可能轻易原谅？猪八戒和沙僧也一言不发，可见，他们二人也不相信孙悟空是诚心忏悔、好意来归。

果然，唐僧一念《紧箍咒》，孙悟空就凶相暴露，说：“我是有处过日子的，只怕你无我去不得西天。”孙悟空落魄到无处可去，可口中依然强调，我有地方去，没你唐僧我照样快活，而你唐僧没我寸步难行。

在三打白骨精那会儿，唐僧说，你走了，还有猪八戒、沙僧，照样能降妖。后来的事实证明，猪八戒、沙僧都是草包。这次，唐僧不提二人，只是说，我就是不要你。就算去不成西天，也不要你。

唐僧再无能，那也是师父，有师道尊严。何况，这草包师父手中还有《紧箍咒》这个强力武器。你再纠缠，我把你脑浆都勒出来。

好狠的唐僧，好无奈的师父！

孙悟空在拜求师父无效后，只能再次离开。这次，他“忽然省悟”，自己不该找唐僧，而应该找观音。

这就是孙悟空的聪明之处。我们前文说了，女儿国女王可以在通关文牒上加上孙悟空的名字，可以让孙悟空的名字在大唐传颂万代，接受供奉。可是，孙悟空看中的绝非仅仅如此，他需要的，是与自己贡献相等的待遇。

因此，孙悟空拜求唐僧接纳，即便回归，最多不过是保持现状，即不奖赏也不惩罚；而唐僧还会觉得自己作为师父颜面又损，以后少不得再给他“穿小鞋”。

但是，找观音就不一样了。当初可是观音把孙悟空招聘进入取经团队的。并且，如今观音正是取经行动的直接负责人。孙悟空找观音，合情合理。

孙悟空到了南海后，和红孩儿的一番冲突，颇有趣味。红孩儿行礼问："大圣何来？"孙悟空说："有事要告菩萨。"原文说：

"善财听见一个告字，笑道：'好刁嘴猴儿！还像当时我拿住唐僧被你欺哩！我菩萨是个大慈大悲，大愿大乘，救苦救难，无边无量的圣善菩萨，有甚不是处，你要告他？'行者满怀闷气，一闻此言，心中怒发，咄的一声，把善财童子喝了个倒退，道：'这个背义忘恩的小畜生，着实愚鲁！你那时节作怪成精，我请菩萨收了你，皈正迦持，如今得这等极乐长生，自在逍遥，与天同寿，还不拜谢老孙，转倒这般侮慢！我是有事来告求菩萨，却怎么说我刁嘴要告菩萨？'善财陪笑道：'还是个急猴子，我与你作笑耍子，你怎么就变脸了？'"

那红孩儿也是鬼精灵，当初几次三番用枪来扎观音，就是不肯归顺，后被观音狠狠扇了几巴掌，又给了俩甜枣，被驯化得服服帖帖。如今他开口就训斥孙悟空是个刁嘴猴儿，闭口就说我菩萨如何如何。

孙悟空勃然大怒，痛骂红孩儿是个小畜生。孙悟空火气为何这么大？孙悟空是有口误，"告菩萨"确实可以被理解成"告求菩萨"或"状告菩萨"。但是，红孩儿是什么身份？不过是观音跟前一仆从。孙悟空是何等身份？齐天大圣！一旦取经成功，至少也是菩萨，甚至比菩萨更高！孙悟空的目标，可是要当佛的！

红孩儿被骂得狗血淋头，可他还只能赔笑，谁让观音器重孙悟空呢？孙悟空这次前来，是和观音谈判的。红孩儿这种小角色只能靠边站。

孙悟空与观音的一番对话，十分精彩！

孙悟空一见观音，立刻下拜，号啕大哭。观音一看，好奇怪，这孙悟空一贯牛气，如今怎么成了“娘们儿”？谁让他受委屈了？

果然，孙悟空哽咽着说：“当年弟子为人，曾受那个气来？自蒙菩萨解脱天灾，秉教沙门，保护唐僧往西天拜佛求经，我弟子舍身拼命，救解他的魔障，就如老虎口里夺脆骨，蛟龙背上揭生鳞。只指望归真正果，洗业除邪，怎知那长老背义忘恩，直迷了一片善缘，更不察皂白之苦！”

孙悟空这番话至少可做五层解。

其一，当年我可是很牛的。孙悟空龙宫夺宝，闯荡幽冥，横行三界，大闹天宫，向来只有他给人气受，何人敢让他受气？即便拜见玉帝，孙悟空也不过略微鞠躬，口称：“老倌，你好！”

其二，我是你观音的人。孙悟空强调，是观音而非唐僧将他从五行山下解脱的。对此大恩，孙悟空向来铭记在心，时刻不敢忘怀。

其三，我对工作是很负责的。因为感恩，参加取经团队后，孙悟空拼死拼活，降妖除魔，从来都是享受在后，吃苦在前。

其四，我的活不是白干的。我为何这么卖力？因为我要归真正果。既然已经被玉帝所代表的天庭驱逐，那么，孙悟空希望在佛派高层得到一个位置。说得好听是洗涤罪孽，其实就是开口要官。

其五，唐僧有错。孙悟空知道唐僧身份的特殊性，人家上面有人嘛。可是，再有背景也不能胡来啊！唐僧是背义忘恩，不分黑白。

观音听了，很吃惊，立刻让孙悟空把事情原委说一说。孙悟空说了。观音说："唐三藏奉旨投西，一心要秉善为僧，决不轻伤性命。似你有无量神通，何苦打死许多草寇！草寇虽是不良，到底是个人身，不该打死，比那妖禽怪兽、鬼魅精魔不同。那个打死，是你的功绩；这人身打死，还是你的不仁。但祛退散，自然救了你师父，据我公论，还是你的不善。"

观音这番话说得有没有道理、公不公平呢？应该说，有道理，很公平。孙悟空在打杀强盗的事情上确实有错。

观音为何如此说？

当初如来交代观音时就说，希望到东土找一个取经人，功成之后，可得正果。这个取经人，就是如来的二弟子金蝉子。这一切早就是内定好了的。孙悟空此时哭诉要官，观音怎么能答应呢？这种事情，非得如来同意才行。

于是，观音只得貌似公允地说了几句官话、套话。

见观音如此，孙悟空说："纵是弟子不善，也当将功折罪，不该这般逐我。万望菩萨舍大慈悲，将《松箍儿咒》念念，褪下金箍，交还与你，放我仍往水帘洞逃生去罢！"

孙悟空的话软中有硬。一方面，即便他有错，那唐僧也不能将他驱逐，他可是有大功之人。另一方面，他强调，驱逐他也行，把他的金箍拿下，他与观音两不相欠。

我们回顾一下"三打白骨精"那回，孙悟空就是以此为理由，迫使唐僧再次答应留下他的。孙悟空早就明白，观音和唐僧一样，只会《紧箍咒》，不会《松箍儿咒》。果然，观音一说不会，孙悟空立马告辞。

最精彩的部分来了。看原文：

“行者道：‘既如此，我告辞菩萨去也。’菩萨道：‘你辞我往那里去？’行者道：‘我上西天，拜告如来，求念《松箍儿咒》去也。’菩萨道：‘你且住，我与你看看祥晦如何。’行者道：‘不消看，只这样不祥也了。’菩萨道：‘我不看你，看唐僧的祥晦。’好菩萨，端坐莲台，运心三界，慧眼遥观，遍周宇宙，霎时间开口道：‘悟空，你那师父顷刻之际，就有伤身之难，不久便来寻你。你只在此处，待我与唐僧说，教他还同你去取经，了成正果。’孙大圣只得皈依，不敢造次，侍立于宝莲台下不题。”

观音为何不让孙悟空走？

一来，丢不起面子。观音是取经行动的直接负责人，孙悟空若到如来那儿一闹，不就显得观音办事不力、御下无能吗？

二来，取经行动非孙悟空不可。观音是知道孙悟空的能力和背景的，尤其清楚太上老君与孙悟空的关系。因此即便有其他神通广大的妖魔，比如黑熊精，也没有被放入取经队伍。取经团队看起来只有四人，其实代表了各方的势力：佛派，唐僧；太上老君派，孙悟空，猪八戒；玉帝派，沙僧。

孙悟空以要去如来那里大闹为要挟，使得观音不得不慎重考虑孙悟空的前途问题。到底以什么方式、什么理由帮助孙悟空实现愿望呢？

观音算计了一番，告诉孙悟空：

其一，你可以去痛扁你师父出气，但是只能弄伤，不能害命；

其二，你必须一直待在我身边，我可以为你作证，为你求情；

其三，用我这个方法，你可以成就正果，即得到佛位。

于是，在观音的策划下，一场真假美猴王的大戏上演了。

大家仔细品味原文，看看是不是这个意思呢？

第三十二节　假猴王言行

孙悟空并不想离开取经团队，他想要的，是希望观音、如来能够按照他的功绩，给他一个应得回报——成就佛位。

我们回顾一下孙悟空上次被赶走再回归的过程，可以发现，要想实现这个要求，必须有以下这样几个条件。

其一，出现一个强大的妖魔，强大到令猪八戒、沙僧无力对抗，强大到三界多数仙佛都无法抗衡。

其二，这个强大的妖魔，不能比孙悟空厉害，并且最终要被孙悟空降伏（消灭）。唯有如此，才能凸显孙悟空的强大，以及其在取经团队中不可替代的地位。

其三，佛，也是天庭的一种高级编制。孙悟空成佛，既要得到玉帝的批准，更要得到如来的同意。而佛派相对独立，只要如来同意，玉帝不会干涉佛派内务。观音虽然是五方五老，却又是如来下属，在佛派地位并不高（菩萨级别）。如何让如来改变态度，是个问题。

要想解决这三大难题，孙悟空就必须和观音联手。事实上，两人的配合极为默契。

孙悟空做的第一步，便是以身外化身之法，将一个自己留在观音身边，另一个自己前往唐僧处，以假猴王的面貌示人。假猴王唯有是孙悟空自己所化，才能让孙悟空全程掌控，完美达到目标。

或许有读者会说，你这些都是猜测，有没有实际证据呢？

我们且看假猴王出现后说了什么，又做了什么？

孙悟空离开后，唐僧骑马走了五十里。唐僧说："这半日饥又饥，渴又渴，那个去化些斋来我吃？"猪八戒只得领命，一去许多时候却不见回来，沙僧说去找八戒，也许久不回。就在八戒与沙僧都不在的空当，假美猴王出现了。

也就是说，孙悟空离开了六七个小时。按照时间推算，孙悟空恰巧有时间从观音那里回来。

首先，观音住在南海普陀山（别当成现实中的普陀山），按照时区算，和人间是一样的。

其次，原著在流沙河、红孩儿故事中都明白地说明孙悟空去南海"那消半个时辰，早望见普陀山境"。也就是说，孙悟空驾筋斗云前往南海，一来一回，差不多要一个时辰，即两个小时左右。即便孙悟空在南海与观音商量两个小时，那时间上也完全足够。

假猴王见了唐僧，跪下来双手捧着一个瓷杯说："师父，没有老孙，你连水也不能哩。这一杯好凉水，你且吃口水解渴，待我再去化斋。"由此可见，假猴王已经隐藏形迹有一会儿了，他见唐僧渴了，还跑去端了杯水来。这刚好可以补齐空缺的时间。

唐僧拒绝，并且说："我不吃你的水！立地渴死，我当任命！

不要你了！你去罢!”唐僧这话，明明白白是接着不久前的话：不要你，死也不要你。唐僧肉眼凡胎，看不清真伪，这可以理解。奇怪的是，假猴王说的话，也和真猴王说的话前后衔接。假猴王说：“无我你去不得西天也。”但唐僧再次拒绝。假猴王变了脸色，大怒，丢了瓷杯，拿出铁棒，“望长老脊背上砑了一下，那长老昏晕在地，不能言语”。

猪八戒和沙僧回来后见唐僧晕倒，急忙抢救。唐僧醒来后愤愤然说：“徒弟，你们刚去，那悟空更来缠我。是我坚执不收，他遂将我打了一棒。”

孙悟空明明是“砑”了唐僧一下，可唐僧却说是被打了一棒。孙悟空的铁棒那可是一万多斤，别说盗贼，就是神仙被直接砸中，不死也伤。原著中的“砑”到底是何意呢？只是“轻轻触碰”的意思。

明白了吧，这假猴王百分百就是真悟空。他要真打唐僧，一万个唐僧也被打死了。人家只是用金箍棒和唐僧轻轻地亲密接触了一下——完全符合观音的要求。

后来，假猴王做了什么呢？“他把两个青毡包袱，提在手中，驾筋斗云，不知去向”。

这忽然出现的假猴王和书中其他全部妖怪都不同，他既不擒拿唐僧，更不吃唐僧肉，却抢走众人眼中毫无用处的行李。为何呢？

假猴王抢走行李后，本来天大地大，哪个山头不可以隐藏？他却偏偏去了花果山，坐等猪八戒、沙僧前来讨要。果然，沙僧前来，正看到孙悟空在念通关文牒，并且，还是念了一遍，再念一遍。可见，这通关文牒在假猴王心中的地位极为重要。

沙僧听了，喝道：“师兄，师父的关文你念他怎的?”沙僧说得明白，这通关文牒是唐僧的，不是悟空的。

假猴王说：“贤弟，此论甚不合我意。我打唐僧，抢行李，不因我不上西方，亦不因我爱居此地。我今熟读了牒文，我自己上西方拜佛求经，送上东土，我独成功，教那南赡部洲人立我为祖，万代传名也。”

其实，这不仅仅是假猴王心中所想，更是真悟空一贯的追求。从孙悟空出生，他就在不断寻求他人的认可。从美猴王到弼马温，从弼马温到齐天大圣，孙悟空看似在追逐官爵，但根本上说，是在寻求他人的认可。

孙悟空一生重名，这也是他一听到别人喊他弼马温就暴走的关键原因。若能被一方亿万百姓奉为佛祖，千秋万代享受祭祀，那是何等荣耀?

可惜，这个想法很美好，却根本不可能实现。

沙僧一语戳破假猴王的美梦。他说：“菩萨曾言：取经人乃如来门生，号曰金蝉长老，只因他不听佛祖谈经，贬下灵山，转生东土，教他果正西方，复修大道。遇路上该有这般魔障，解脱我等三人，与他做护法。兄若不得唐僧去，那个佛祖肯传经与你！却不是空劳一场神思也?”

此前，我曾撰文说，唐僧师徒四人中，心机最深者为沙僧。表面看来，沙僧整天都不说话，好像老实巴交、啥也不懂的样子，但其实早就勘破世情，心里跟明镜似的。如来说是让观音前往东土寻访取经人，其实取经人的指标早就内定了。观音的权限，只是找三个护法，保证取经行动顺利而已。没有唐僧，即便假猴王到了西天，如来也不会传经，自然他也不会成佛。

真悟空自然也明白这么做无用。他要的，只是搞出一个对立面。

那么，孙悟空为何不变化出另一个形态的妖魔，抓走唐僧？因为他明白，以如来的智慧是一定能看破迷雾，发现真相的。

因此，孙悟空变化的这假猴王，更多的是在向如来传递信息。假猴王传递了什么信息呢？我是绝对拥护取经行动的。我是绝对拥护佛派的。我是有取经能力的。

孙悟空其实是以这种独特的方式向如来表态：我有忠心，我有能力，提拔我吧！

那么，真假美猴王大战时，他们为何分别选择到观音、唐僧、玉帝、地藏王、如来等处分辨呢？

除了谛听、如来，其他人真的分不清真假吗？

第三十三节　八方求证

在凭空制造了一个假猴王之后，孙悟空要做的，就是证明假猴王并非自己。

那要如何证明呢？自然是要找三界之中有身份、有神通的大仙作证。只要他们证明打唐僧的是假猴王，自然可以证明真猴王无罪。

表面上看，符合这个标准的大仙极多，可能够配合的极少。

孙悟空与观音一共找了五批人作证：

第一批，观音以及南海诸仙；

第二批，玉帝以及李天王等天将；

第三批，唐僧、猪八戒、沙僧；

第四批，十殿阎罗、地藏王菩萨；

第五批，如来以及西天诸佛。

为何要找这样五批证人呢？我们一一分析。

孙悟空在沙僧的陪同下，果然看到假猴王霸占了花果山。孙悟空大怒，上前交战。真假美猴王大战许久，不分胜败。此时，孙悟空提议，沙僧先回去告诉唐僧，打师父的乃是妖怪。自己则要去南海找观音，请她来分辨真伪。孙悟空为何第一个找观音作证？

首先，观音地位高，说话分量重。在仙界，观音是五方五老之一，地位与如来相等。在佛派，观音是四大菩萨之首，虽然上面还有四十六尊佛，但她却是取经行动的直接负责人。有了问题逐级申诉，合情合理。

其次，此次真假美猴王之事乃观音点化（策划+默许），观音自然会处处帮悟空圆谎，为孙悟空争取最大利益。

最后，观音一旦定下调子，那些比观音地位低、能量小的仙人就不敢胡说、乱说。上级都说有假猴王，下属敢说假猴王就是孙悟空变的？

真假美猴王到了南海后，观音是用什么来辨识真伪正邪的呢？

她让木叉和红孩儿一人揪住一个猴子，然后自己默念《紧箍咒》，看哪个猴子不会痛，痛的是真猴王，不痛的是假猴王。

这个方法怎么样呢？这纯粹属于白痴性的辨识方法啊！

之前，文殊菩萨的青狮精变成假唐僧，猪八戒提议，让两个唐僧念《紧箍咒》，八戒和沙僧一人揪住一个，会念的是真唐僧，不会念的是假唐僧。八戒这提议，一下子就分辨出了谁真谁假。因为，会不会念《紧箍咒》，一听就可以分辨出。

可是，观音念《紧箍咒》，人家头上会不会痛，外人怎么看得出呢？完全可以演戏嘛！

果然，两个人都一起喊疼，抱着头在地下打滚，这反倒证明两个猴子都是孙悟空。只因，金箍一旦套上，就锁定了元神。孙悟空即便施展万千身外化身，每个小孙悟空头上那都是戴着金箍，都受《紧箍咒》约束的。金岘洞青牛精使用金刚琢，也不能套去金箍，就因为金箍已经与孙悟空融为一体，不再是外物了。

可是，观音已经定下了调子，两个猴子中必定有一个是真、一个是假。于是，群仙只能做单选题。

观音为何吩咐孙悟空前往天庭呢？观音说："你当年官拜弼马温，大闹天宫时，神将皆认得你，你且上界去分辨回话。"

仅仅是因为天庭神将认识孙悟空，就让他去天庭跑一趟吗？当然不是。

观音还有一层意思。孙悟空并非散仙，人家此前可是正式接受过仙箓的齐天大圣，眼下虽然皈依佛派，但依然属于天庭管辖。也就是说，之前孙悟空是天庭直接管辖的官员，虽然现在下放到人间，但由于孙悟空有过前科，对他的提拔还需要天庭即玉帝点头。

不得不说，玉帝不愧当了亿万年三界之主，在处理突发事件的时候，他不慌不忙，很有一套。

真假美猴王冲破重重阻碍，一直闹到灵霄殿上。玉帝说："你两个因甚事擅闹天宫，嚷至朕前寻死！"看看，玉帝说话多霸气！

昔日桀骜不驯的孙悟空——孙悟空对玉帝改变态度，从遭遇青牛精，被吸走金箍棒开始——对玉帝毕恭毕敬。

孙悟空说："万岁，万岁，臣今皈命，秉教沙门，再不敢欺心诳上，只因这个妖精变作臣的模样。"如此如彼，他把前情备陈了一遍，"指望与臣辨个真假！"假孙悟空也如此陈了一遍。

孙悟空这番话信息量极大。

其一，孙悟空表明，玉帝老儿，我承认您是君，我是臣，再也不敢像以前一样啦。

其二，我如今虽身在佛派，但依然归您管辖，希望您不要为难我。

其三，我如今遇到了困难，希望您帮帮我。

孙悟空要玉帝帮什么忙呢？帮他辨明真假。即有一真、有一假，绝非两个都是真，更非两个都是假。

玉帝怎么做的呢？很多人说，玉帝的法力不如如来。如来一眼就看穿了真假孙悟空，玉帝却没有看出来。其实玉帝根本不必看，他光听，就明白孙悟空的真意了。

玉帝把这个分辨真假的工作交给了托塔李天王来做。

为何交给托塔李天王呢？那李天王一家都和佛派关系密切，他李家就是佛派在天庭的代言人（后文细讲原因）。玉帝的意思是，你佛派那些事别来烦我，你们自己搞定吧！

结果，李天王一听孙悟空介绍，知道连观音都没法分辨真伪，自然他那照妖镜也无法分辨真伪。与观音念咒时两个猴王都痛一样，照妖镜中两个都是孙悟空。这只因，假就是真，真就是假，不过是身外化身而已。

见天庭分辨不出，孙悟空带着假猴王去找唐僧。

经过沙僧的介绍，唐僧已经明白是假猴王打了自己，怒气消散了一些。真假猴王来到后，把到南海、天庭都无法分辨的事情说了一遍。

他们每到一处必定说一遍，为什么？为了定调子。精明的沙僧立刻明白了其中含义。

沙僧一开始就怀疑假猴王乃真悟空。因此，当孙悟空要驾筋斗云去花果山时，沙僧扯住不放。若真的是孙悟空打了师父，抢了行李，那沙僧可丝毫不会顾及兄弟情谊——当初在南海一见孙悟空时，沙僧可是抄起宝杖就打。如今听了猴王诉说原委，他终于明白了。

沙僧明白了什么呢？明白上级已经表态了，真相如何已经不重要了。维护上级的意图，才是重中之重。

结果，心机最深沉的沙僧再次提议使用最白痴的辨识方法，他和猪八戒一人拉住一个猴王，让唐僧念《紧箍咒》。结果自然是依然不能分辨真假。

师徒四人中，有三人明白真相，唯独唐僧傻乎乎的，真觉得有个假猴王。孙悟空看打消师父疑虑的目的已经达到，提议到冥界走一趟。

第三十四节　神秘地藏

地藏王菩萨在民间影响极大。一些传说认为，地藏王菩萨乃是佛派四大菩萨之一，不但佛法精深，更有慈悲心肠。他发下宏愿："地狱不空，誓不成佛。"

在《西游记》中，地藏王菩萨虽然不是四大菩萨之一，却也是幽冥教主，统管十殿阎罗，地位颇高。

听闻真假美猴王打将过来，十殿阎罗一面点齐兵马——虽然明知打不过孙悟空，多点兵马，也可以壮胆；一面飞报地藏王，请老人家出马。

孙悟空说完前因后果，提议翻查生死簿，查看假猴王信息。十殿阎罗战战兢兢、装模作样地把所有生灵的生死簿一一详查。查了很久，十殿阎罗回禀：大圣幼年得道之时，把所有有名号的猴类全部删除了，因此，冥界根本不可能查到任何信息。

孙悟空为何要把自己的第四批证人选定为冥界十殿阎罗呢？

其一，可以掩人耳目。在唐僧这样的凡人看来，十殿阎罗掌管人间一切生灵的生老病死，自然，假猴王在冥界应该有档案保存。

其二，阎王必然不敢说破。十殿阎罗早就被孙悟空打怕了，用猴哥自己的话来说，叫作“十殿阎君曾与我做仆从”。只要孙悟空说，两个猴王中有一真一假，哪个阎王敢说个不字?

其三，也是最关键的，冥界根本不可能找到任何假猴王信息。

这是为何呢?孙悟空不可能忘记当初自己在冥界的所作所为——那是他一生得以自傲、最爱吹嘘的几件事情之一，取经路上遇上妖怪，孙悟空多次提起。

就在孙悟空觉得冥界之行目的已经达到，准备离开的时候，地藏王终于赶到了阎罗殿。

地藏王一上场，就喊住孙悟空说：“且住，且住!等我着谛听与你听个真假。”

地藏王没有叫孙悟空“大圣”，也没有叫“悟空”，而是称孙悟空为“你”。从此可见，地藏王见到孙悟空，既不用像十殿阎罗一样恭恭敬敬，执臣子（下属）之礼，也没有像观音、如来一样以上级看待下级、长辈看待晚辈一般随意从容。单从此处看，地藏王面对孙悟空显得不卑不亢，颇有知名菩萨风度。

不过，地藏王自己并不能分辨真假，他必须借助神兽谛听的力量。

西游世界中，有不少仙人，尤其是兽类出身的仙人，大都具有某种天赋神通。比如昴日星官的啼叫、狮驼岭狮子精的狮子吼、蜘蛛精的吐丝技能等。谛听就善于聆听。

原著说谛听“可以照鉴善恶，察听贤愚”。原来，那谛听不但可以听懂人间（仅仅是人间）各种鸟兽虫鱼的话语，并且可以分辨各种仙人的善恶。即谛听听到的，不仅是口中发出的声音，还有心灵（脑电波?）发出的声音。正因如此，他才能辨别善恶。既然谛听有这个功能，自然能够分出真假猴王。

关键的一段话来了，看原文：

“须臾，（谛听）抬起头来，对地藏道：‘怪名虽有，但不可当面说破，又不能助力擒他。’地藏道：‘当面说出便怎么?’谛听道：‘当面说出，恐妖精恶发，搔扰宝殿，致令阴府不安。’又问：‘何为不能助力擒拿?’谛听道：‘妖精神通，与孙大圣无二。幽冥之神，能有多少法力，故此不能擒拿。’地藏道：‘似这般怎生祛除?’谛听言：‘佛法无边。’”

谛听与地藏王的一段对话，当属于神识交流，至少也是孙悟空、十殿阎罗都听不到的悄悄话。否则，谛听这番话就等于泄露了机密，会遭到孙悟空的报复。

我们细细品味谛听的话，什么叫作“不可当面说破，又不能助力擒他”?

若当面说破，假猴王会大怒，可能搅乱冥界。可是，假猴王本领再高，不过和孙悟空一样。一个孙悟空就足以抵挡假猴王，说破有何关系？若冥界帮助孙悟空擒拿，那应该百分百可以获胜才对。

唯一的解释，就是谛听已经明白，假猴王即真猴王，真猴王即假猴王。一旦揭穿真相，不但假猴王要大闹冥界，真猴王也会不依不饶。

地藏王的神通如何?

作为地藏王的贴身宠物，谛听最了解地藏王的实力。他说：

“妖精神通，与孙大圣无二。幽冥之神，能有多少法力，故此不能擒拿。”从此可见，在谛听心中，地藏王的神通远远不如孙悟空。

本来，孙悟空准备走了，但自我感觉良好的地藏王偏偏把孙悟空叫住，声称可以揭破真相。可是，后来发现自己无力承担说真话的后果，地藏王大囧，连忙问谛听怎么办。谛听回答：“佛法无边。”地藏王虽然有点自负，但总算不笨，于是，他故作高深地告诉孙悟空：“你两个形容如一，神通无二，若要辨明，须到雷音寺释迦如来那里，方得明白。”

等孙悟空刚走，地藏王就让人把冥界所有关隘全部封锁，在十殿阎罗的簇拥下回翠云宫。

原来，地藏王在西游世界中大体和灵吉菩萨一般，只是一个普通菩萨。难怪在最后一回诸佛诵念名单时，有观音菩萨、大势至菩萨、文殊菩萨、普贤菩萨之名，却无地藏、灵吉之名。

那么，孙悟空去见如来后又发生了什么？

第三十五节　如来权谋

真假美猴王见如来一回，虽然内容不长，却颇有味道。

如来对真假美猴王的论定，前后截然不同，而促成其转变的原因，是观音的出现。

如来最开始是怎么评定真假美猴王事件的呢？

听闻灵山下喧哗，如来停止讲经，以慧眼遥观，已经看明一切。当时，如来说："汝等俱是一心，且看二心竞斗而来也。"也就是说，如来最初认为，在座诸位都是一心，而孙悟空有了二心。

什么叫作二心呢？

一种说法认为，所谓二心，即孙悟空心中的善念与恶念。假孙悟空就是恶念所化，即孙悟空的心魔。于是，在将六耳猕猴打死后，孙悟空和唐僧关系和睦，再也没有吵闹，孙悟空从此一心向佛，再也没有二心。

事情真的是这样吗？根本就不是。在以后的回目中，唐僧还是一贯胆小怕事爱唠叨，孙悟空还是常常训斥师父、批评师弟。孙悟空和以前相比根本就没有变化。

真正变化的是什么呢？是唐僧对孙悟空的态度。唐僧对孙悟空完全放弃了此前的师道尊严，对孙悟空言听计从，倚为心腹。正因为唐僧的处处退让，师徒关系这才非常融洽。

我认为所谓二心，可以用《华严经》的解释："凡人皆有二心，一为真心，一为妄心。"

取经的前半段路程，唐僧经常训斥孙悟空，或借助猪八戒来打压孙悟空，但是，孙悟空对唐僧是非常真挚的，对于取经也是最为热心的。

平顶山一回中，孙悟空平生第一次被对手弄得七窍喷血，受了重伤。当时，孙悟空又哭又叫说："师父啊！想当时你到两界山，揭了压帖，老孙脱了大难，秉教沙门；感菩萨赐予法旨，我和你同住同修，同缘同相，同见同知；哪想到了此处，遭逢魔障，又被他遣山压了！可怜！可怜！”此处，吴承恩用了六个“同”字。

金岘山遭遇青牛精，孙悟空被收走了金箍棒，他再次流泪哭泣说：“师父啊！指望和你：佛恩有德有和融，同幼同生意莫穷。同住同修同解脱，同慈同念显灵功。同缘同相心真契，同见同知道转通。岂料如今无主杖，空拳赤脚怎兴隆！”此处，吴承恩一口气用了十个“同”字，来表现孙悟空与唐僧形同一体，心为一念。

应该说，许多时候，孙悟空都与唐僧同心同德，对唐僧一心一意，都希望前往西天取经。这份真心，是猪八戒与沙僧绝对无法相比的。

可是，一贯一心、一直真心的孙悟空，此刻有了妄念、妄心。有了这个初步印象，我们可以预料，如来做出的决断，对孙悟空必定很不利。

真假美猴王都把前因后果对如来说了一遍，最后强调：“千乞大开方便之门，广垂慈悯之念，与弟子辨明邪正，庶好保护唐僧亲拜金身，取经回东土，永扬大教。”

孙悟空一番话说得很含蓄，但已经表明了态度——只要如来帮忙分辨正邪，自己就会保护好唐僧，一定完成传经重任，让东土百姓永远供奉佛派。

只是孙悟空毕竟是当事人，话不好说得太直白，否则极可能触怒如来。一旦如来认为孙悟空是在借此要挟他，和他谈条件，孙悟空就极有可能遭到抛弃。

就在如来准备表态的关键时刻，观音来到。

如来非常精明，一见观音来得匆忙，料定有要事禀告，于是说：“观音尊者，你看那两个行者，谁是真假？”

西游世界中，观音不仅是佛派的一个菩萨，还是仙界五方五老之一，地位与如来相等。并且，观音乃是取经行动的直接负责人，孙悟空正是观音的直接下属。如来要想最大可能地团结观音，就必须最大限度地尊重观音的意见。

观音立刻说：“前日在弟子荒境，委不能辨。他又至天宫、地府，亦俱难认。特来拜告如来，千万与他辨明辨明。”

观音的话很简单，却传递出几个非常重要的信息。

其一，真假美猴王一事，牵连甚广，人间、天庭、幽冥三界仙人都已经知情，如来你做出判决时，千万要慎重。

其二，观音、天庭、冥界都表示无法分辨真伪，裁定权交给如来。至于原因，如来你自己想个借口。

听闻观音如此说，如来很满意。观音此举，无异于在天、地、人三界中，给如来做了一个超级大广告。就连玉帝也分不清真假美猴王，可是，他如来能。

至于理由嘛，很好找：“汝等法力广大，只能普阅周天之事，不能遍识周天之物，亦不能广会周天之种类也。”

然后如来就与观音一问一答、一唱一和，说明假悟空乃六耳猕猴。假悟空听如此说，立刻准备逃跑，被如来用金钵罩住。孙悟空将其一棒打死，彻底了结此事。

大家看看，此前如来认为真假美猴王乃是孙悟空有了二心，假悟空乃妄念所化。后来如来却宣布，假悟空不是孙悟空的二心所化，乃是天地间四大灵猴之一的六耳猕猴所化。

如来的观点之所以发生变化，就是因为孙悟空，尤其是观音强调：她、玉帝、冥界都已经认定，有一真猴王，有一假猴王。真的假不了，假的真不了。既然有真假，就必须去假存真。

假猴王被打死后，如来吩咐孙悟空回去。孙悟空却不肯走，要求如来把《松箍儿咒》念念，收掉金箍，让他好逍遥自在地回花果山做美猴王。

如来说："你休乱想，切莫放刁。我教观音送你去，不怕他不收。好生保护他去，那时功成归极乐，汝亦坐莲台。"

如来这句话可做四层解。

其一，孙悟空你别放刁耍横，我知道假悟空就是你搞出来的把戏。再闹，我收了你！

其二，孙悟空你也不要乱想，不要有心理负担。你只要好好执行取经任务，保护唐僧，我就不计较你过去的错误。

其三，只要你完成任务，"汝亦坐莲台"，你的待遇和唐僧一样，都会成佛。

其四，我派观音护送你回去，唐僧、猪八戒、沙僧他们对你的态度必定改观。大家都会认可你在取经团队中不可替代的地位。

果然，观音代表如来，把该说的、能说的都对唐僧师徒说了一遍。唐僧师徒合意同心，洗冤解怒，照旧西行。

第三十六节　公案本质

有个说法流传很广：在真假美猴王故事中，真孙悟空因为不听如来的话，被如来培养的假猴王（六耳猕猴）给打死了。之后取经的，是假猴王，而非真大圣。

这个说法是否可信呢？

应该说，这个说法的可信度为零。翻遍原著全书，找不到一处有力的证据来支持此种说法，而反面的证据比比皆是。

第一，孙悟空真不听如来的话吗？

在不少读者的印象中，孙悟空乃是一个天生的造反派，敢于忤逆上级，因此才会有大闹天宫事件的发生，也才会被如来镇压在五行山下。

第二，孙悟空造反，并非为国为民反抗腐败的天庭，而是他贪恋禄位，渴望功名。在修成天仙之后，他大闹龙宫，搅乱幽冥，则是想要证明自己。等到太白金星下界招安时，孙悟空非常高兴，想着："我这两日正思量要上天走走，却就有天使来请。"人间已经无法满足孙悟空了，或者说，孙悟空已经不甘于当一个草根英雄了，他渴望得到官方（天庭）的认可。

孙悟空第一次反出天庭，是嫌弃弼马温官小，觉得自己被玉帝轻视了。他第二次反下天庭，是因为搅乱蟠桃会，而搅乱蟠桃会又是因为他没有得到入会邀请。归根到底，他还是觉得自己不被天庭高层认可，预期与现实有很大差距。

被压五百年之后，孙悟空对拥有仙箓、成为天庭神仙的渴望不但没有减弱，反而深入骨髓。

明明孙悟空已被天庭贬斥，被迫入了佛派参加取经，但是每当介绍往事，孙悟空必定大谈特谈自己如何大闹天宫，当上“齐天大圣”。孙悟空心中，他那唐僧大徒弟的身份远远比不上齐天大圣。

孙悟空知道自己身份尴尬，要想取得佛派高层——主要是如来与观音——的信任，必须十分卖力才行。孙悟空也确实这么做了，甚至可以说，做的远比佛派仙人还要卖力，说无所不用其极也毫不过分。

因此，取经路上，孙悟空不但没有忤逆如来，反而时刻、处处为佛派的未来，为如来的大业着想。

比如在车迟国，孙悟空推翻三清塑像，吩咐猪八戒把三清塑像丢到茅坑，这就是公开与道派决裂。取经路上，几乎被降伏、被打杀的妖魔都是道派的。比如被孙悟空用阴谋诡计害死的车迟国虎、羊、鹿三仙，比如在确认无大靠山之后被打成肉酱的蜘蛛精，比如被孙悟空剥皮吃肉的玉华州黄狮精。

孙悟空的这些举动，都是极力讨好如来，怎么谈得上忤逆如来、得罪如来呢？孙悟空这么卖力，如来高兴还来不及，干吗要打杀呢？

其次，被打死的究竟是谁？

如果说六耳猕猴被打死的现场比较混乱，其真假难以定论，那么，我们可以结合事件结束之后孙悟空的种种表现，来判定死掉的究竟是真大圣，还是假猴王。

在经过比丘国后，唐僧师徒来到了黑松林。孙悟空去化斋，跳到半空中回望黑松林，原文说："只见松林中祥云缥缈，瑞霭氤氲。"

这祥云瑞霭乃是佛派高层仙人出行的典型标志，比如观音、文殊等出行，必定有祥云瑞霭随身。孙悟空追随唐僧十来年，第一次发现唐僧头顶出现祥云。因此，孙悟空大惊，说：

"若我老孙，方五百年前大闹天宫之时，云游海角，放荡天涯，聚群精自称齐天大圣，降龙伏虎，消了死籍。头戴着三额金寇，身穿着黄金铠甲，手执着金箍棒，足踏着步云履，手下有四万七千群怪，都称我做大圣爷爷，着实为人。如今脱却天灾，做小伏低，与你做了徒弟，想师父头顶上有祥云瑞霭罩定，径回东土，必定有些好处，老孙也必定得个正果。"

这段话是孙悟空的心理活动，必然属实。唯有真孙悟空，才经历了大闹天宫，才自称齐天大圣。也唯有真孙悟空，才会对做唐僧徒弟耿耿于怀。

唐僧因修习《多心经》许多年，终于有所突破，于是头顶出现了祥云瑞霭。孙悟空觉得，这是唐僧修行有成的结果，而自己也能够水涨船高，得到相应的回报。

在原著中类似的证据还有多处。

在后文孙悟空进入无底洞后，见到洞府中种种神奇景象，不禁赞叹："好去处啊！想老孙出世，天赐与水帘洞，这里也是个洞天福地!”

这两句话和之前段落不同，不是心里话，但是孙悟空说话时周围空无一人。因此，孙悟空同样没有撒谎的必要。并且，能慨叹提到自己出世就得到天赐的水帘洞，也唯有亲身经历了勇跳瀑布事件的真大圣才能说出。

还有，原著中对于真假美猴王的判定，其实从没有混淆。凡是提到孙悟空本尊，作者必定称为“那大圣”；凡是表示假猴王，作者必定称为“那行者”，在如来宣布四猴分类后，又称之为“那猕猴”。

在上天庭拜见玉帝时，原文说：“大圣口称：‘万岁！万岁！臣今皈命，秉教沙门，再不敢欺心诳上，只因这个妖精变作臣的模样。’如此如彼，把前情备陈了一遍，‘指望与臣辨个真假’！那行者也如此陈了一遍。”

几乎每一次拜见高层（观音、玉帝、地藏王），都是大圣先发言，行者后复述。若细看大圣的发言就会明白，这就是真孙悟空。唯有亲身感受到天庭仙人的种种变化，对玉帝的言辞才会如此恭顺。原著中最后也是“孙大圣”挥棒打死了“那猕猴”。

可以说，六耳猕猴被打死确凿无疑。

那么，六耳猕猴事件，或者说真假美猴王事件的本质是什么呢?

第一，六耳猕猴并非独立的存在。

如来说，六耳猕猴乃是四大灵猴之一，且能预测未来，听闻三界事。这明显是如来扯谎——原著中如来扯的谎可不止一处。若六耳猕猴真能预测未来，他还会心甘情愿来到灵山，被如来道破真身，被孙悟空一棒子打死吗？

第二，六耳猕猴是孙悟空的分身。

这六耳猕猴并非孙悟空的心魔，而是孙悟空的分身。此事件是孙悟空为了抬高自身在取经团队的地位，争取自己的正当权益，和观音一起策划的一场戏。

若是心魔所化，心魔被打死后，孙悟空当一心向西，与唐僧和睦相处。事实是，事件发生之后，孙悟空和唐僧的关系虽有缓和，但矛盾依然存在。孙悟空教训唐僧，唐僧打压孙悟空之事还是反复出现。一直到师徒共同登上凌云渡无底船，大家都已经到达灵山，目标已经达成，师徒之间的矛盾才告结束。

第三，孙悟空费尽心机的目的何在？

孙悟空之所以要搞出一个分身，是要借此给唐僧、给观音、给如来一些压力，证明取经行动要想完成，非他不行。最终，如来答应："功成归极乐，汝亦坐莲台。"给了孙悟空一个成佛的口头承诺。

真假美猴王事件的争斗，看似孙悟空与六耳猕猴的争斗，本质上是孙悟空同唐僧之间的争斗。

孙悟空地位的提高，意味着唐僧地位的下降。唐僧本是如来的二弟子金蝉子转世，早在五百年前就注定成佛。为何观音、如来在二人的争斗中，不选择支持唐僧，而选择支持孙悟空呢？

是因为孙悟空能打？

猪八戒也能打，沙僧同样能打。所谓"八十一难皆是局，降妖伏魔一场戏”，完成取经行动，本身并不是一件很困难的事，没孙悟空，取经行动难道就真的完不成了吗？

很明显，事件中另有玄机。到底是什么原因让观音和如来放弃了唐僧，而选择了孙悟空呢？

第三十七节　唐僧失势

前文说了，真假美猴王公案的本质，其实是取经团队主事权的斗争。

作为如来二弟子金蝉子的转世，唐僧拥有强大的先天优势，早在许多年前，他就已经被内定为取经团队的主事人。在取经团队正式组建时，佛派高层也想了不少办法来帮助唐僧树立威信，提高地位。

早在取经行动正式开始前，如来就已经预料到取经团队内部可能出现不和谐现象。于是，他赐给观音三个金箍，并且说：“我有金紧禁的咒语三篇。假若路上撞见神通广大的妖魔，你须是劝他学好，跟那取经人做个徒弟。他若不伏使唤，可将此箍儿与他戴在头上，自然见肉生根。各依所用的咒语念一念，眼胀头痛，脑门皆裂，管教他入我门来。”

因为经书不能白给，佛位更不能轻赐，在唐僧到达灵山完成取经任务之前，如来不会唤醒唐僧大脑中金蝉子的记忆。但唐僧若没有昔日记忆，就法力全无，取经路上遇到妖魔只能依靠他人。

如来给了唐僧三重保障，以确保唐僧在取经团队中至高无上的地位。

如来与唐僧前世乃师徒关系，此乃唐僧的第一重保障。

正因为唐僧出身高贵，背景通天，五庄观镇元大仙才会主动端出人参果，以示亲近；寿星、龙王等人才对唐僧非常尊重；西天群妖尤其那些手眼通天的魔王，在下手抓捕唐僧时，才无不心存忌惮。

让观音收编的强大妖魔做唐僧的徒弟，此乃唐僧的第二重保障。

明确师徒名分，对于唐僧非常重要。所谓“名不正，则言不顺”，孙悟空神通广大，法力无边，可是在乌鸡国王感激下拜时，只能避让。因为“天无二日，家无二主”，唐僧既然在现场，就必须由唐僧代表整个团队接受乌鸡国王的谢意。孙悟空再牛，性格再狂，也不敢在公众场合做出那种欺师灭祖的事情。

给观音三个金箍，套在取经人徒弟头上，此乃唐僧的第三重保障。

观音得到三个金箍，两个被她挪作他用，乍一看仿佛她有些私心。但仔细一想，我们不得不佩服观音很善于耗费最小的资源，做出最大的成效。三个徒弟中，孙悟空武艺最高，脾气最暴。只要控制了孙悟空，猪八戒、沙僧就不敢乱动。用一个金箍发挥出三个金箍的效果，观音做到了。

孙悟空被套上金箍，使得唐僧对取经团队的控制力大大加强。

取经路上，《紧箍咒》一再发挥功效，成为唐僧确保自己地位的最大保障。

如来对唐僧这个转世徒弟，不可谓不关心。

并且，在此前唐僧与孙悟空的两次重大矛盾中，观音与如来都坚定地站在唐僧一边，对孙悟空持打压态度。

唐僧与孙悟空的第一次冲突，是在五行山下。孙悟空一跳出牢笼，就撒泼打死了六个强盗。唐僧唠叨了两句，孙悟空一怒之下就准备回花果山当妖王。在当时，唐僧除了趴在石头上痛哭，对孙悟空全无办法。

在这时，观音化为一个中年妇人，交给唐僧一套衣衫，并传授唐僧《紧箍咒》一篇。唐僧也是聪明人，立刻明白此妇人是观音所化。之后，孙悟空回归，唐僧骗孙悟空穿上衣衫。孙悟空被诱骗戴上了金箍。

戴上金箍后，孙悟空大发脾气。后来，观音对他恩威并施，说："你这猴子！你不遵教令，不受正果，若不如此拘系你，你又诳上欺天，知甚好歹！再似从前撞出祸来，有谁收管？须是得这个魔头，你才肯入我瑜伽之门路哩！"

观音明确告诉孙悟空，在取经团队中，唐僧的话语就代表教令，代表法旨，若不遵守唐僧的命令，那就无法得到正果。在师徒之间的冲突中，观音、如来鲜明地站在了唐僧一边。

唐僧与孙悟空的第二次冲突，是在白骨精事件后。唐僧发怒，赶走孙悟空，看似为了孙悟空打死无辜人类，其实是因为孙悟空藐视他这个师父的威权。

因为黄袍怪乃是天庭奎木狼下凡，在为非作歹时知道把握分寸，观音并没有亲自出面。当时只是由猪八戒代表唐僧，邀请孙悟空出山回归。

此事最终以师徒互相道歉结束。看起来孙悟空略占上风，但实际上唐僧取经团队主事人的身份并没有真正动摇。

原因很简单，这次事件的解决是师徒私下道歉，没有经过高层，即不具备官方效力。在观音、如来看来，唐僧依然是取经团队的唯一主事人。

事物的发展，都要经过一个从量变到质变的过程。

平顶山之后，唐僧与孙悟空之间发生了一系列事情。这种种事情在当时看似寻常，但在蝎子精事件后发生了根本性变化。在这些变化中，唐僧在观音、如来心目中的地位逐渐下降，孙悟空在观音、如来心目中的地位逐渐上升。

此消彼长之下，最终，孙悟空与唐僧位置互换。唐僧虽然是师父，却不得不交出主事人的大权。

那么，在取经路上究竟发生了什么，让观音与如来对唐僧越来越失望呢？

第三十八节　唐僧之缺点

作为西游世界佛派的主事人，如来处事冷静客观，极少感情用事。在他的心中，用取经行动最大限度地为自己、为佛派争取利益，是五百年来的头等大事。为了达成这个目的，如来在三界高层间折冲樽俎，费尽心思。

在《西游记》中，金蝉子是如来的二弟子。有人会问：如来的大弟子是谁？有人说，迦叶尊者就是如来的大弟子。其实，那只是在现实佛教中。而在《西游记》中，我们找不到答案。

其实，如来的大弟子是谁并不重要，就如同我们不必纠结如来的三弟子、四弟子是谁一样。我们只要明白，作者这么写，是要告诉我们，金蝉子不是如来唯一的弟子。让金蝉子做未来的取经人，是如来从诸多弟子中苦心选拔之后的结果。

那么，如来为何在真假美猴王事件中放弃了唐僧，选择了孙悟空作为取经团队主事人呢？

只因唐僧在真假美猴王事件发生前，就已经犯下了一系列大大小小的错误。犯错并不可怕，可怕的是唐僧始终没有明白自己错了。并且，在真假美猴王事件中，唐僧将这个错误持续扩大，最终让如来、观音都无法忍受。

取经路上唐僧犯下了哪些错误呢？

首先是忠心问题。

可以推测，如来选择金蝉子作为取经人，最为看重的必然是金蝉子的忠心。可惜，随着九世轮回，金蝉子的记忆已经迷失在唐僧大脑的最深处。

因为没有对师尊如来的记忆，唐僧在情感上和如来隔了一层。当然，即便如此，也并没有影响唐僧对如来的忠心。是的，唐僧对如来是忠心耿耿的。毕竟，如来乃掌握《三藏真经》、掌握所有佛派仙人命运的主事人。

但是，唐僧的这份忠心在取经路上表现得太宽泛了，并不仅仅是针对如来一人的。唐僧也一直没有意识到这点。

在见到观音时，唐僧匍匐下拜；见到天庭仙人时，唐僧焚香礼拜；见到四海龙王时，唐僧打躬作揖；见到土地、山神，唐僧依然是连连行礼。几乎见到每一位仙人，唐僧都毫无原则地磕头。唐僧此举，看起来是谦恭低调，其实是不明事理、不辨轻重。

最让如来不满的是，在唐僧的心目中，观音的地位要远远高于自己。

观音亲自出场时不必说，就连见到南海的山神出马，唐僧都慌得“滚鞍下马，望空礼拜”“只管朝天磕头，也不计其数”。表面上唐僧敬的是落伽山山神，骨子里敬重的还是观音。

当然，唐僧确实有敬重观音的理由。

对于唐僧来说，如来只是一个高高在上的名称。他没有直接感受到如来的威严，也没有直接领受如来的恩惠。观音则不然。从唐僧出世，到代表大唐取经，到赠送金箍降伏孙悟空，到命人送来鞍鞯……观音对唐僧的恩惠，可谓贯穿唐僧的生命，数也数不清。当然，唐僧并不知道，观音的许多恩惠其实是借如来之花献给自己这个未来的佛的。

从小就埋头经卷，长期远离世俗的生活，让唐僧骨子里有一股呆气。你可以说他正直，也可以说他迂腐。比如在车迟国，对孙悟空隔板猜物时的作弊，唐僧就很不满。但也同样因为这呆气，让唐僧秉持受人滴水之恩，当涌泉相报的信念。既然观音对他恩情最重，那么，在心中最敬重、最忠于观音又有何不对？

孙悟空则不然，从被套上金箍那天开始，他就想着跳出观音的掌控。孙悟空几次闹情绪找到观音时，虽然不乏敬重，但更多是在谈条件。比如真假美猴王事件中，见观音不答应帮忙，孙悟空就提出："我上西天，拜告如来，求念《松箍儿咒》去也。"

孙悟空早就明白，如来才是佛派的主事人，才是取经行动的总负责人。于是，面对观音时，孙悟空不是低头哀求，而是开出条件，平等谈判，并成功胁迫观音也为自己说情。这只因，孙悟空若是撂挑子，不但孙悟空有渎职之罪，观音也有领导不力之责。

其次是带队问题。

如来给予唐僧三大保障，可谓用心良苦。可是唐僧呢？却一直没有把队伍带好。取经一路走来，团队成员之间一直磕磕碰碰，矛盾不断。

大家都来自五湖四海，代表不同的力量，有矛盾本来是正常的。可是，作为取经团队的带头人，必须尽快调和内部矛盾，团结一致，才能快步前进。可是，五人团队组建都已经许多年了，磨合期的结束仿佛还遥遥无期。这就只能说明，唐僧的驭下能力不行。

有人或许会认为，唐僧是因为没有法力才没带好队伍。若是唐僧实力最强、最能打，谁不听话就打谁，那队伍肯定可以带好。

事情真的是这样吗？

管理一个团队，最需要的从来都不是武力。"枪杆子里面出政权"不假，但不能凡事都动用枪杆子，枪杆子最大的作用是震慑，是在它将响未响时。

如来不但给了唐僧主事人的名分，并且给了他《紧箍咒》，可以说既给了权把子，又给了枪杆子。可是，取经一路走来，孙悟空一直在和唐僧斗，并且有愈演愈烈的趋势。

唐僧也曾经努力过。他使用的法子主要是借力打力，联合猪八戒来打压孙悟空。这本来也算一个办法，但是唐僧忘记了，猪八戒是个怂包、懒虫，经常犯错误。这种人煽风点火可以，关键时刻根本靠不住。

若在孙悟空走后，猪八戒能够拿出全部手段，展现真实水平，大败黄袍怪，那唐僧必然底气十足。若这样的话，就算最后孙悟空回归团队，也绝不敢再叫嚣。

唐僧最不明智之处，就是在知道取经没猴子不行之后，依然不服气，依然爱叫板，以致双方越闹越僵。

那唐僧怎样带队才能确保自己在取经团队中主事人的权力呢？

其一，确立一个灵活的考核制度。

取经团队的分工非常死板：孙悟空降妖，猪八戒挑担，沙僧喂马，十多年一成不变。三个工作中，降妖对最终功果的影响明显最重。由孙悟空一人负责降妖，大大挫伤了猪八戒、沙僧的积极性。

因此，制定一个灵活的考核制度非常必要。可以把降妖、挑担、喂马折算成一定积分，结合三个徒弟在一定时期内或降妖，或挑担，或喂马的成绩，进行一个积分排名。每个人的分工并不固定，可以自由选择。最终根据积分榜排名决定功果的高低。

若能如此，猪八戒、沙僧的积极性必定大大提高。只要他们肯展现真实水平，孙悟空在降妖伏魔工作中一家独大的局面就会结束。孙悟空在取经团队中的威权自然会降低。

其二，加强与高层的联系沟通，常请示，多汇报。

唐僧是肉体凡胎，不会飞，不能直接联系到观音、如来。但是，我们不要忘记了，唐僧身边始终有三十九位护法神。

唐僧的思想一直存在一个误区，他仅仅把三十九位护法神当成监视者，而忘记了他们另有功用。唐僧应该加强与这三十九位护法神之间的联系，并通过这些仙人，加强自己与观音、如来、玉帝等高层之间的联系，尤其是与如来之间的联系。因为在未来数百年决定唐僧命运的主要是如来。

唐僧早在长安城中——至少是在五庄观中——就知道了自己的前世是金蝉子。可是，在得知这个仙界惊天秘密后，唐僧竟毫无反应。他至少也应当通过护教伽蓝转告如来，感谢师尊厚爱，又给自己一个重新修成正果的机会。若唐僧能再次与如来连线，孙悟空即便再狂，也不敢轻视唐僧。

其三，主动担负起降妖伏魔的重任。

取经活动中，孙悟空为何那么牛气？是因为他曾经大闹天宫、被尊为齐天大圣？根本不是！是因为观音从玉帝那里为他得来了“叫天天应，叫地地灵”的权力。借助这个权力，他屡屡大败妖魔。

这个权力是独属于孙悟空的吗？不是。这权力是属于整个取经团队的，也就是说，唐僧也拥有这份权力。

唐僧完全可以通过三十九位护法神去了解仙界格局，了解三界高层，了解西天群妖背景，然后做出相应的决断。取经行动看似艰难，其实大多数情况下不过是高层安排的一场场游戏，至于武艺比斗，只是过场。可以说，只要找到了那妖魔的主公，就可以顺利通关。

若唐僧能够充分发挥三十九位护法神的背景优势，充分掌握西天群妖的各种资料，打好一场情报战，那么，孙悟空只会是他决策的执行者，而绝不至于爬到他头顶吆五喝六。

可惜，唐僧完全没有悟到以上种种，反而在他的带领下，取经团队大有崩盘之势。面对如此危机，如来、观音怎能坐视不理呢？

第三十九节　唐僧受辱

取经路上，在三打白骨精事件之后，唐僧与孙悟空的矛盾虽然一直存在，但一度缓和了许多。不过，在女儿国、琵琶洞中发生了一些事情，使唐僧与孙悟空的矛盾再度激化。

在离开琵琶洞后，唐僧就主动挑起矛盾，使他与孙悟空的矛盾再度激化。

当时，唐僧正独自骑着白龙马行走在山路上，突然从山路两边闪出三十多个强盗，拦住去路。唐僧胆战心惊，吓得从马上跌落下来，蹲在草丛中喊着大王饶命。唐僧的这个反应很正常。他本就不是一个胆大的人。

后来，强盗提出，只要留下盘缠，就不杀唐僧。唐僧说没钱。强盗说，脱下袈裟，就可以走人。本来，唐僧应当立刻脱袈裟，就算舍不得脱，也应当多说好话，伏低做小，以求蒙混过关。

唐僧却说："贫僧这件衣服，是东家化布，西家化针，零零碎碎化来的。你若剥去，可不害杀我也？只是这世里做得好汉，那世里变畜生哩！"

唐僧仿佛转了性情，胆子变得贼大，竟然嘲讽强盗，若是抢了他的袈裟，那就要变作畜生。唐僧难道不知道，此言一出必将激怒强盗，从而招来杀身之祸吗？

唐僧当然知道，他的目的就是要激怒强盗。不过，激怒强盗只是目的之一，更重要的，唐僧是要将祸水转移。

果然，强盗大怒，就要打人。这时，唐僧才装出一副无奈的样子，终于说出了自己的底牌："二位大王，且莫动手，我有个小徒弟，在后面就到。他身上有几两银子，把与你罢。"

强盗们果然中计。在他们看来，唐僧有钱，只是太吝啬，不用暴力就不说真话。现在唐僧已经黔驴技穷，说出来的话必定属实。换言之，他们认定，唐僧的小徒弟身上必定是有钱的。

不久，孙悟空赶到。那些强盗果然放走唐僧，截住了孙悟空。

取经路上，唐僧一直秉持各种戒律。此刻，他却故意犯了诳戒，这是为何呢？

因为唐僧非常了解孙悟空的性情。

在孙悟空面前，唐僧也没有隐瞒，把自己撒谎，说孙悟空有钱的事情直言相告。孙悟空不怒反喜，说："好，好，好！承你抬举，正是这样供。若肯一个月供得七八十遭，老孙越有买卖。"

孙悟空为何连续说三个"好"字？一方面是孙悟空疾恶如仇，

见坏人上门，心中欢喜；另一方面是降妖伏魔正可以增加孙悟空的功德，来的坏人越多，孙悟空的功德就越高。

按照事情的正常发展，这三四十个强盗只有死路一条。唐僧与孙悟空成为师徒已经七八年，怎么会不知道孙悟空这番话的含义？

见孙悟空主动接下了任务，唐僧纵马狂奔，跑去找猪八戒、沙僧。等见到猪八戒，唐僧交代说："徒弟啊，趁早去与你师兄说，教他棍下留情，莫要打杀那些强盗。"

唐僧明明知道孙悟空就要打杀强盗，却不当面阻止，反倒在走开后，再派猪八戒去劝阻。唐僧就是要造成孙悟空胡乱打死人的事实，然后，他才好摆出师父的威仪，以滥杀无辜之名，惩罚孙悟空。

唐僧为何主动挑起与孙悟空之间的矛盾呢？

只因为在女儿国与琵琶洞中，唐僧一而再，再而三地受到孙悟空的羞辱。

女儿国中，太师前来提亲。当时，猪八戒极力反对，他说："太师，你去上复国王：我师父乃久修得道的罗汉，决不爱你托国之富，也不爱你倾国之容，快些儿倒换关文，打发他往西去！"

猪八戒的意思是，唐僧一定会走，但我可以留下。唐僧虽说八戒这么说主要是为自己谋福利，但客观上帮助唐僧解了围。

可是，孙悟空把猪八戒大骂了一顿，要求一切都听师父的。唐僧一时以为孙悟空是真心为自己好，就询问孙悟空有何解决办法。

谁料想孙悟空却告诉他："太师说得有理，我等不必作难，情愿留下师父，与你主为夫，快换关文，打发我们西去，待取经回来，好到此拜爷娘，讨盘缠，回大唐也。”

唐僧一听大怒，这不是把自己往沟里带吗？唐僧当场就要翻脸，欲直接拒绝太师，却又被孙悟空拉到一边，好一番威逼恐吓。

孙悟空说：“你若使住法儿不允他，他便不肯倒换关文，不放我们走路。倘或意恶心毒，喝令多人割了你肉，做什么香袋啊，我等岂有善报？一定要使出降魔荡怪的神通。你知我们的手脚又重，器械又凶，但动动手儿，这一国的人尽打杀了。若打杀无限的平人，你心何忍！诚为不善了也。”

孙悟空这番话，有事实，也有夸张。女儿国女王可能会对唐僧师徒出手，危害唐僧性命是事实，但是孙悟空所讲的应对手段，却非常夸张。

以孙悟空的神通，就算女王想要留下唐僧，他完全可以施展定身法定住女王与百官，然后带上唐僧等人轻松离开。事实上，孙悟空最终也是这么做的。所谓要把女儿国百姓全部打死才能离开，完全是孙悟空故意灭自己威风。

所以，在唐僧看来，这就是孙悟空故意将自己推入陷阱，看自己笑话。孙悟空这番举动，可远比直接与唐僧吵架来得险恶。

而此后，若非唐僧意志坚定，对霸道好色的女王根本没感觉，他很可能犯下大错。

孙悟空对唐僧的恶意还不仅于此。

在唐僧被蝎子精掳走之后，孙悟空追到了琵琶洞中。孙悟空看到唐僧与蝎子精有说有笑，立刻出手阻止。可奇怪的是，等到孙悟空与蝎子精两番大战后，孙悟空忽然又不着急救师父了。

当时，天色已晚，蝎子精两战大胜，进入洞府，再次去撩拨唐僧。洞外，猪八戒与沙僧忧心如焚。八戒说：“这等说，便我们安歇不成？莫管什么黄昏半夜，且去他门上索战，嚷嚷闹闹，搅他个不睡，莫教他捉弄了我师父。”

一贯爱偷懒的猪八戒，也知道事情紧急。若是唐僧元阳丧失，名誉败坏，整个取经团队都会成为仙界的笑话。因此，猪八戒提出，即便天晚，也应当挑灯夜战，绝不能让妖怪有时间去祸害师父。

可是，无论猪八戒怎么说，孙悟空就是一句：“头疼，去不得！”

孙悟空的头真的疼吗？疼，但绝没那么夸张。

孙悟空的头号称铜头铁脑，连九齿钉钯筑下去都没有白印。虽然说，在不运用法力的情况下，孙悟空的身体依然会受伤，但是书中强调，孙悟空的头既不红也不肿，看起来根本就没有异样。

反观第二天猪八戒被倒马刺扎中时，那嘴唇立刻肿得和超级大香肠一样。昴日星官治好了猪八戒的嘴唇后，孙悟空也提出治病。原文说：“星官道：‘你未遭毒，摸他何为？’行者道：‘昨日也曾遭过，只是过了夜，才不疼，如今还有些麻痒，只恐发天阴，也烦治治。’”

昴日星官乃是蝎毒行家，他一看孙悟空的脑袋就提出，孙悟空根本就没有中毒，何必要治？昴日星官当然不知道孙悟空昨天撒谎，借口头疼不去救唐僧之事。孙悟空今天为了圆谎，自然没病也要装病。

当然孙悟空也是中了倒马刺之毒的，但他乃金刚不坏之体。当初在号山火云洞前，孙悟空内热外冷，一时之间几乎丧命，连筋斗云都驾不得。可是，短短数小时之后，孙悟空再斗红孩儿，并飞去南海请观音。

可见，孙悟空的自愈能力绝对是超强的。

孙悟空为何不连夜营救唐僧呢？

只因为他看出唐僧动了色心，元阳可能会不守，于是他故意给蝎子精制造机会，给足时间。一旦唐僧失了元阳，那取经主事人身份必然丧失。之后，主事人之位自然非孙悟空莫属。

在被救出琵琶洞时，唐僧自然对孙悟空感激涕零。可是，等到猪八戒、沙僧等人把前一天傍晚孙悟空的言行告诉唐僧后，唐僧立刻意识到孙悟空此举对自己可能的伤害。

就如同孙悟空大闹天宫的目的是刷存在感一样，唐僧也极度渴望证明自己。身为师父，怎能被徒弟当成傀儡？身为师父，怎能没有师道尊严？

于是，唐僧做出了一些激怒孙悟空的言行。他就是要激怒孙悟空杀人，然后念动《紧箍咒》，看着孙悟空在自己脚下匍匐、扭动，令其臣服于己。

可惜，唐僧忘记了，他的大徒弟可不是任意揉捏的面团，而是五百年前大闹天宫的齐天大圣。对唐僧来说，本来计划的是一出喜剧，没想到最终变成了悲剧。

这其中到底发生了什么变化呢？

第四十节　唐僧落败

前文中提到，唐僧对如来不专一，驭下能力不强，使如来对唐僧有所不满。不过，如来也仅仅是不满而已。不管唐僧如何无能，取经团队总还是较好地完成了上级交给的各项任务。在没有意外发生的情况下，如来不会主动提拔孙悟空而打压唐僧。毕竟，唐僧再怂也是他如来的弟子；孙悟空再牛，也是由道入佛，半路出家的。

那么，在真假美猴王事件中，究竟发生了什么意外，使唐僧在话语权争夺中彻底败给了孙悟空呢？

接着上文说唐僧路遇强盗抢劫，谎称弟子孙悟空有钱之事。

唐僧留下孙悟空，独自骑马与猪八戒、沙僧会合。随即，唐僧让八戒去阻止孙悟空杀人。可是，等到八戒急匆匆赶来，孙悟空已经把为首的两个强盗打得脑浆迸裂，横尸当场。

唐僧听闻，“就恼起来，口里不住的絮絮叨叨，猢狲长，猴子短”，骂个不停。

此时，唐僧本应当端起师父的架子，念诵起《紧箍咒》来。强盗虽然是恶人，但是罪不至死，且不能由孙悟空打死。事后观音也说，孙悟空可以打杀妖魔，却不能无辜打死凡人。在这件事情上，唐僧若惩罚孙悟空，任凭孙悟空走到哪里都是没理。若孙悟空胆敢反抗，那唐僧就可以禀告观音、如来，对孙悟空严惩。所谓“趁你病，要你命”，当断不断，反受其乱。

可是，唐僧一直犹犹豫豫，不肯念出《紧箍咒》，反倒絮絮叨叨地为死去的人祷告。祷告时，唐僧大谈：“你到森罗殿下兴词，倒树寻根，他姓孙，我姓陈，各居异姓。冤有头，债有主，切莫告我取经僧人。”

唐僧这话说得很薄情。孙悟空再怎么也是他的徒弟，徒弟犯下大错，做师父的也有管教不严的罪责，可唐僧竟然推了个干干净净。别说孙悟空心中愤懑，就连一旁的猪八戒也看不过去。

猪八戒笑道：“师父推了干净，他打时却也没有我们两个。”唐僧呆傻，竟然没想到八戒纯粹是说反话。原文说：“三藏真个又撮土祷告道：‘好汉告状，只告行者，也不干八戒、沙僧之事。’”

唐僧此举，顿时激怒了孙悟空。想孙悟空追随唐僧时间最久，降妖伏魔出力最多，可在师父心中，竟然是如此一钱不值，他怎能不心寒？

于是，孙悟空效仿唐僧，也说了一番祈祷词。这番祈祷，把唐僧吓了个半死，刚兴起的一点惩罚孙悟空的念头，被生生压制。

孙悟空傲然说：“将你（强盗）打死了，尽你到那里去告，我老孙实是不怕：玉帝认得我，天王随得我；二十八宿惧我，九曜星官怕我；府县城隍跪我，东岳天齐怖我；十代阎君曾与我为仆从，五路猖神曾与我当后生；不论三界五司，十方诸宰，都与我情深面熟，随你那里去告！”

孙悟空这番话看似豪气，其实恶意十足，明摆着挑衅唐僧的威权。唐僧若是有胆气，当直言训斥孙悟空，只知道宣扬暴力，以势压人。唐僧若是有见识，当直言揭穿孙悟空，所谓某某惧怕孙悟空，多是孙悟空自作多情。

要知道，所谓齐天大圣，已经是过去时。在五百年前，玉皇大帝就已经宣判孙悟空是妖魔，由如来镇压在五行山下。如今孙悟空若是被驱逐出佛派，没有了和尚这层皮，立刻就会面临三界高层的追杀。

可惜唐僧根本就没有意识到佛派身份对孙悟空的重要性，反倒被孙悟空一番大话吓得胆战心惊，连忙讨饶说：“徒弟呀，我这祷祝是教你体好生之德，为良善之人，你怎么就认真起来?”

唐僧不知道，正是自己这番讨饶，使得孙悟空恶念更深，打定主意要和唐僧斗到底。大凡斗争，不是东风压倒了西风，就是西风压倒了东风，没有中间道路可以选择。

原文说：“孙大圣有不睦之心，八戒、沙僧亦有嫉妒之意，师徒都面是背非。”

孙悟空的一番话，让唐僧胆战心惊，生出退意。但是，师徒之间的矛盾并没有得到解决。此时的情况，犹如“山雨欲来风满楼”，一场恶斗即将爆发。

师徒四人来到一处村庄，住到一个姓杨的老汉家中。孙悟空处处强出头，宣扬：“雷公是我孙子，夜叉是我重孙，马面是我玄孙哩！”表面上是吓唬老杨，其实是在震慑唐僧。后来，大家闲聊家常，老杨说自己的儿子不成器，经常为非作歹。孙悟空恶狠狠插嘴说：“老官儿，似这等不良不肖、奸盗邪淫之子，连累父母，要他何用！等我替你寻他来打杀了罢。”老杨顿时胆寒，连忙说儿子虽然不好，但总还能为自己送葬。一旁的唐僧被气得发昏，又要念《紧箍咒》，幸亏猪八戒、沙僧打圆场，大家才没有当场翻脸。

之后，老杨的儿子回来，要来杀唐僧师徒。老杨通风报信，放唐僧师徒逃走。半路上强盗追上来，唐僧特意交代孙悟空，老杨于大家有恩，切莫害了人家孩子。可是，孙悟空偏偏指名道姓找寻老杨的儿子，不但将其打死，还把头割了下来；不但割了人家头，还把血淋淋的头颅扔到唐僧怀中，把唐僧吓得从马上直摔下来。

在这样的情况下，唐僧念起了《紧箍咒》，并且一念就是十多遍。孙悟空疼得打滚，开始求饶。

此刻，唐僧本应当就此打住。在立威之后，就应当施恩。所谓打一棒子，给一甜枣。可是，唐僧竟然说："没话说，我不要你跟了，你回去罢！"他要把孙悟空驱逐出取经团队。

唐僧此举可谓料事不明、处事不公，难怪最后事情闹得不可开交。

为何说唐僧料事不明、处事不公呢？

首先，唐僧有权处罚孙悟空，可没权驱逐孙悟空。

作为取经团队的一员，并且是徒弟身份，孙悟空犯错后，唐僧有权力进行惩罚。对于这件事情，孙悟空挑不出任何毛病。可是，要赶走孙悟空，人家可就有意见了。

在见到观音时，孙悟空就说："纵是弟子不善，也当将功折罪，不该这般逐我。"孙悟空知道被驱逐出取经团队事关重大，将直接影响自己的前程命运，于是，希望观音为自己做主。

孙悟空为何找观音呢？

只因唐僧虽然是取经团队中的师父、主事人，但是，从另一个角度来说，唐僧也仅仅是取经团队中的一员，他与孙悟空、猪八戒、沙僧、白龙马等人都是观音招募的。从这个角度来说，五人的地位都是平等的。

说到驱逐某人，观音最有发言权。别说是唐僧了，就连如来，要赶走某人，也要照顾到观音的面子，先通知观音一声。可这唐僧，竟然自己就宣布将孙悟空赶出取经队伍。这不是藐视观音，说观音识人不明，是个糊涂人吗？

其次，唐僧完全没有意识到孙悟空在取经团队中的重要性。

观音为何选择孙悟空进入取经团队？仅仅是因为孙悟空曾经大闹天宫，因为孙悟空很能打吗？

当然不是。

西天路上，孙悟空的武力发挥了重要作用，但绝不是主要作用。所谓“降妖伏魔一场戏”，人家各路妖魔，大多都是各方仙佛下放来的。抓捕唐僧不过就是演戏，只要戏演得差不多了，人家自然会把唐僧放出来。

这也是西天路上孙悟空动不动就去天庭，去南海，去其他高层处搬救兵的原因。不是孙悟空斗不过那些妖怪，而是孙悟空已经明白了取经的真意。

观音选择孙悟空最主要的原因，是看中了孙悟空的背景——太上老君的得意弟子。孙悟空大闹天宫时，为何天庭群星齐齐放水？还不是大家看在太上老君的面子上！仙界高层大都知道这个事实，只是当局者迷，孙悟空偏偏不知道。他老人家直到金峣山时，还认为天庭神仙全都打不过他呢！

和读者想象的完全不同：妖魔大多集中在西牛贺洲；西牛贺洲，即如来所在的洲，绝大多数国家竟然都信奉道家，百姓竟然大都是三清的信徒。

观音与如来要想顺利完成兴佛抑道的重任，就必须选择一个在道派拥有强大话语权的人物，否则，取经行动必然引起道派高层的反扑。

孙悟空其实就是充当代表道派打压道派的角色。只是，他到很晚才认清这个事实。

最后，唐僧驱逐孙悟空后，本该立刻向上级汇报，争取主动。

作为下级，在上级面前多请示、多汇报，既是个姿态，也非常必要。这可以向上级传递一个信息：我很敬重你，你在我心中很重要，甚至等于说，我是你的人。

孙悟空就是个聪明人。他在事情发生之后，第一时间选择了跑去南海。孙悟空此举，可谓“恶人先告状”。

事实是，先告状的效果极好。孙悟空此举，不但最大限度地消弭了他的错误，而且让观音觉得，孙悟空是自己的人，自己必须庇佑孙悟空。结果，观音不但帮孙悟空设局，而且主动帮助孙悟空圆谎，帮助孙悟空争取最大的利益。

反观唐僧，在驱逐孙悟空之后，只知道坐在那里念经。他既没有通过猪八戒、沙僧联络观音，也没有通过护法神联络如来。他老人家摆出一副我是正义化身，我凛然不惧，我做的没错的姿态，坚决不找人，坚决不汇报。

唐僧的结果自然惨到了家，被孙悟空打了一棒子之后，还得乖乖认可孙悟空的主事人地位。

在取经五人组中，孙悟空自然是“猴精猴精”，沙僧是大智若愚，唐僧貌似睿智但其实最蠢，而猪八戒名为“呆子”实际上只是装傻。

那么，在真假美猴王事件中，猪八戒扮演了一个怎样的角色呢？

第四十一节　八戒古怪

取经行动，苦难重重，外部妖魔作祟，内部也矛盾重重。内部各种矛盾中，唐僧与孙悟空关于话语权的争夺，可谓首要矛盾。为了获胜，唐僧与孙悟空各拉盟友。猪八戒投入唐僧阵营，坚定地支持师父才是取经团队主事人。沙僧与白龙马则投入孙悟空阵营，强调没有大师兄，取经就没有希望。

猪八戒为何肯加入唐僧阵营呢？除去对唐僧“师父”身份的认可外，他与孙悟空之间斗争不断也是重要原因。

和孙悟空一样，猪八戒也是太上老君弟子；和孙悟空一样，猪八戒在天界的身份也很尊贵。若无孙悟空，以猪八戒的神通与地位，也可以完成取经任务。可因为孙悟空的加入，猪八戒被彻底边缘化，成为一个可有可无、打酱油的角色，降妖除魔成了孙悟空一个人的表演秀。

从四圣庄前确定分工的那一刻开始，猪八戒对孙悟空的怨恨就在滋生。在三打白骨精之时，这怨恨猛然爆发。猪八戒三言两语调唆得唐僧狂念《紧箍咒》，并成功赶走孙悟空。

孙悟空回归后，对劝说有功的猪八戒态度好了一些，彼此的关系也稍有缓和。不过，磕磕绊绊还是屡有发生，比如平顶山巡山风波，乌鸡国寻宝风波，等等。可以说，孙悟空与猪八戒的矛盾从未消失，一直存在。

可是，在真假美猴王事件中，与孙悟空一贯不和的猪八戒的态度却非常奇怪。他明明知道孙悟空杀人，不但不落井下石，反倒尽力帮孙悟空隐瞒。这是怎么一回事呢？

再回到唐僧被强盗拦截一事。等猪八戒奉唐僧命赶到现场阻止孙悟空杀人时，却见孙悟空已经打死了两个强盗。按照常理，猪八戒应该大叫大嚷，立刻跑到师父跟前告状。可是，猪八戒没有这么做。原文说：

"八戒道：'那强盗往那里去了？'行者道：'别个都散了，只是两个头儿在这里睡觉哩。'八戒笑道：'你两个遭瘟的，好道是熬了夜，这般辛苦，不往别处睡，却睡在此处！'呆子行到身边，看看道：'倒与我是一起的，干净张着口睡，淌出些粘涎来了。'行者道：'是老孙一棍子打出豆腐来了。'八戒道：'人头上又有豆腐？'行者道：'打出脑子来了！'八戒听说打出脑子来，慌忙跑转去。"

我们都知道，随着等级的提高，仙人本身的视力、听力都会有极大提升。像孙悟空就能看到千里之内蜻蜓展翅，听到方圆百里任何人的轻言细语。天尊级别的观音、如来更可以看遍整个四大部洲。

猪八戒虽然不如孙悟空，但其目力、听力也不会相差很远。被打死的两个强盗就在路边，以猪八戒的目力，自然一眼就可以看明白。可是，猪八戒竟然傻乎乎地顺着孙悟空的话风，说两个强盗头子在睡觉。

这是为什么？

后来，猪八戒走到强盗尸体近前，看到强盗头子脑袋上白花花、黏糊糊的一片。他也是从尸山血海中走出的魔头，以他的经验，怎么可能看不出强盗头子已经被打死了呢？可是，猪八戒说这两个强盗头子像他，睡觉的时候都会流口水。

猪八戒这不是在帮孙悟空掩盖真相吗？可是，孙悟空对八戒的好意并不领情。他这次打定主意要大闹一场，于是直接挑明，是自己把人打死，打出了豆腐来。

孙悟空都承认打死人了，猪八戒依然不去追究，只是询问："人头上又有豆腐？"孙悟空丝毫不领情，直接挑明是自己打死人，打出了脑浆。见事情无法挽回，猪八戒才慌忙转身，前去向唐僧汇报。

与孙悟空一贯不和的猪八戒，此次为何一改脾性，维护起孙悟空呢？

我们结合猪八戒见到唐僧之后的言行举止，可以解释以上谜团。

一见唐僧，猪八戒的第一句话就是："散了伙也！"

原来，猪八戒是典型的见人说人话、见鬼说鬼话，当面一套、背后一套。他在孙悟空面前，处处表现得为孙悟空考虑，堪称贴心贴肉的二师弟。可转过身来面对唐僧，却来了个大变脸。他什么话都不提，开口就是一句“散伙”！

这声“散伙”可是唐僧最不愿意听的话，也是取经团队面临的最严重问题。听猪八戒如此说，唐僧立刻进入高度戒备状态，询问为何说散伙。

猪八戒说：“打杀了，不是散伙是甚的?”唐僧询问打得怎么样，八戒说：“头上打了两个大窟窿。”唐僧还是自我感觉太好，觉得孙悟空应该畏惧《紧箍咒》，不至于打死人，于是说：“解开包，取几文衬钱，快去那里讨两个膏药与他两个贴贴。”

猪八戒一听，立刻笑了说：“师父好没正经，膏药只好贴得活人的疮肿，那里好贴得死人的窟窿?”见八戒明确说孙悟空打死人，唐僧这才恼怒起来。

猪八戒这番话绝对是有意为之。他就是要挑起唐僧对孙悟空的仇恨。如果是正常禀告，沙僧极有可能为孙悟空说情，那么，杀死强盗事件就会大事化小、小事化了。

于是，猪八戒先说散伙，强调杀人事件的重大危害。身为取经团队的一员，代表的是西方佛派，一言一行都当遵守戒律。在各项戒律中，最不可违反的就是杀戒。可是，孙悟空不但犯了杀戒，并且杀的是两个凡人。

猪八戒又故意卖关子，说孙悟空将人打了两个大窟窿，引得唐僧说出买膏药的那番话。在明白事实之后，唐僧的话无疑就成了笑话。对于令自己出丑的猪八戒，唐僧不会怪罪，他只会怪罪孙悟空不听教诲，知法犯法。在不自觉间，猪八戒将唐僧对孙悟空的仇恨值又拉升了不少。

猪八戒真是貌似愚鲁，其实精明得很。

在唐僧真的念动《紧箍咒》时，对孙悟空怨恨有加的猪八戒却一言不发。在整个真假美猴王事件中，猪八戒也始终保持沉默。这又是怎么一回事呢？

第四十二节　八戒沉默

猪八戒的多嘴，一直为众人熟知。可以说，猪八戒之所以不讨如来、观音喜欢，之所以和孙悟空总是搞不好关系，其中最为关键的，就是多嘴。

观音路过云栈洞，初见堕落成妖的猪八戒，主动伸出橄榄枝，邀请他加入取经队伍。按照常理，身为妖魔的猪八戒应当感激涕零。毕竟加入取经队伍就有了重新回归天庭编制的可能。

可是，猪八戒嚷嚷说：“前程前程，若依你，教我嗑风！常言道，依着官法打杀，依着佛法饿杀。去也，去也！还不如捉个行人，肥腻腻的吃他家娘！管什么二罪三罪，千罪万罪！”

猪八戒混迹仙界多年，知道所谓天规都是高层唬人的东西，若一切都依照天规，那无数仙官都该打死。事实上，许多人都是说一套、做一套，贼喊捉贼的事情多了去了。

只是，许多事情都属于私底下可以做，却不能在台面上公开说的。

猪八戒公开道破潜规则，并且是当着观音的面道破，这就有违游戏规则。八戒让观音下不来台，观音自然也就不看好八戒。

但因为高层早就确定猪八戒是取经成员，此刻观音又已经开口发出了邀请，也不便反口。只是，猪八戒在取经团队中沦为二流，不再受观音器重。

在四圣庄中，猪八戒再一次多嘴，说出所谓“真话”，让所有人都下不来台。

中年美妇（黎山老母）发出招婿邀请，唐僧、孙悟空、沙僧都婉言拒绝。猪八戒恼了说：“胡说，胡说！大家都有此心，独拿老猪出丑。常言道：和尚是色中饿鬼。那个不要如此？都这们扭扭捏捏的拿班儿，把好事都弄得裂了。”

事实上，猪八戒还真的没有说错。在场的诸位，动心的绝不止八戒一人。孙悟空早就知道庄园是菩萨变化，不敢动心。沙僧一贯小心低调，此刻是低眉敛容装作不动心。唐僧原本是动了心，可听闻中年美妇说要一母三女，嫁给他们一师三徒。言下之意，自己只能娶眼前四十七八岁的妇人，这才坚决表态不同意。要知道唐僧当时才三十岁出头的样子呢！

可是，正因为猪八戒这番话说得基本正确，更道出了人间对和尚的普遍认识（在“三言二拍”和《水浒传》等明代小说中，和尚乱搞的事情层出不穷），身为佛派高层的观音、文殊、普贤才会觉得下不来台。

事后，猪八戒被捆绑起来吊了一晚。这处罚看似很轻，其实只是开始。等到达灵山后，如来评定功果时依然强调说：“又有顽心，色情未泯。”猪八戒降妖的功劳被一笔抹杀，仅剩下挑担有功，仅评了个净坛使者。

此前，猪八戒一直扮演的是一个管不住自己嘴的角色。可是，在真假美猴王事件中，他长期沉默，一言不发。这是怎么一回事呢？

只因猪八戒早就发现孙悟空心怀愤懑，几乎是刻意挑事。

琵琶洞前，孙悟空与蝎子精大战。不久，蝎子精离开，孙悟空找到猪八戒、沙僧。当时，孙悟空抱着头、皱着眉，最终嚷着：“厉害，厉害！”猪八戒询问孙悟空为何撤退，孙悟空抱着头只是喊疼。

一旁的沙僧不明就里，询问孙悟空是不是头风发作。孙悟空说不是。猪八戒说：“哥哥，我不曾见你受伤，却头疼，何也？”孙悟空这才解释说，自己是如何被蝎子精倒马刺所伤，因此才头疼不已。

结合前文分析我们知道，蝎子精虽然以倒马刺刺中了孙悟空，但孙悟空的脑袋乃是铜头铁脑，坚硬无比。孙悟空所受伤害，应当很轻。这也是第二天昴日星官一口断言孙悟空并没有受伤的原因。

孙悟空连连喊疼，有违常理，引起了猪八戒的怀疑。八戒说：“只这等静处常夸口，说你的头是修炼过的。却怎么就不禁这一下儿？”

孙悟空解释了一番，可是并没有让猪八戒、沙僧心服。

后来，猪八戒提议挑灯夜战，孙悟空借口头疼，提议休息一晚。猪八戒大怒说：“且去他门上索战，嚷嚷闹闹，搅他个不睡，莫教他捉弄了我师父。”可无论猪八戒怎么说，孙悟空就是不肯出战。沙僧从中调和，三人最终还是没有出战。

以往唐僧落难，孙悟空总是第一个积极营救。可这次，孙悟空竟然狠心将唐僧交给一个花痴女妖。孙悟空到底安的什么心？当时，猪八戒虽然看不透孙悟空的心思，但已经看出孙悟空有意对付唐僧。

而在打死盗贼前，孙悟空对唐僧的态度已经很是轻佻，完全没有了往日的尊重。

当时，天色已晚，猪八戒挑着沉重的担子，满心希望早点投宿，早点吃饭。可是唐僧骑着白龙马，还在优哉游哉地看风景。猪八戒就边走边嘴中呼喊着催促白龙马。但白龙马根本不搭理猪八戒，把他气了个半死。

此时，孙悟空跳转身询问原因。问明白后，他晃一晃金箍棒，做出要打的样子，口中还大喝了一声。那白龙马一看孙悟空如此，心惊肉跳，立刻撒蹄狂奔。

表面上，孙悟空赶的是白龙马，其实，孙悟空吓的是马上的唐僧。若非唐僧骑马多年，骑术尚可，早就被颠下马背。若是那样，唐僧小命难保。

孙悟空此举，那就是把师父唐僧的性命当儿戏，也难怪唐僧心中大怒，后来会故意攀扯孙悟空，让孙悟空去打人，好趁机惩戒一番。

对于孙悟空与唐僧的心思，混迹官场多年、大智若愚的猪八戒怎么可能看不出来？

在唐僧大怒之后，孙悟空的种种反常表现更是让猪八戒心惊。他敏锐地感觉到，未来必定有大事发生。

唐僧三人赶到山冈，亲眼见到了强盗尸体。唐僧吩咐猪八戒把尸体埋了。

猪八戒抱怨说："师父左使了人也。行者打杀人，还该教他去烧埋，怎么教老猪做土工？"猪八戒说的是事实。可他没有想到，孙悟空不但不认错，反倒大喝说："泼懒夯货！趁早儿去埋！迟了些儿，就是一棍！"

之后，唐僧与孙悟空针锋相对地先后诵念了一把祷告词。孙悟空的强势彻底压垮了唐僧，也让猪八戒目瞪口呆。

以往孙悟空与唐僧虽然有些矛盾，但大面上还是过得去的。像如今这样完全撕破脸，公然对着干，绝对是空前的。

因此，猪八戒决定，自己收敛锋芒，好好关注事件的发展。

原文说："孙大圣有不睦之心，八戒、沙僧亦有嫉妒之意，师徒都面是背非，依大路向西正走。"

事件的发展，果然与猪八戒的猜测相符。

在杨家庄，孙悟空强势表态，要打死老杨的儿子。之后，老杨通知唐僧师徒逃离，强盗赶上追杀。孙悟空丝毫不顾唐僧劝阻，当着唐僧的面就一棒一个，几分钟下来，尸横遍野，惨不忍睹。唐僧吓得骑马逃走，孙悟空则纵情逞凶，把所有强盗打绝了。

唐僧曾告诉孙悟空，老杨有通传放行之恩，千万放过老杨的儿子。孙悟空偏偏不听。打听明白老杨的儿子是哪个后，孙悟空一刀割下头颅，血淋淋提在手上，追赶唐僧。这也还罢了。在见到唐僧时，孙悟空竟然把血淋淋的脑袋往唐僧怀里塞去，把唐僧吓得当场摔下马来。

见到孙悟空如此藐视师父，猪八戒上前一脚将人头踢落，可是，他一言不发，没有说一句调唆的话，还主动挖坑把头颅埋了。

猪八戒为何不说话？只因他也知道，自己根本不用多说，唐僧绝对饶不了孙悟空。

果然，唐僧把《紧箍咒》翻来覆去念了十多遍，孙悟空疼得在地上打滚。

这一次，猪八戒没有再挑拨，沙僧也一言不发，没有去劝解。大家都感觉到这次孙悟空很是不同。猪八戒和沙僧都应该意识到，孙悟空这次明摆着是激怒唐僧，让唐僧念《紧箍咒》，让唐僧将其赶走。

也就是说，孙悟空与唐僧的话语权之争已经进入了白热化状态。在这个状态中，猪八戒与沙僧的助力已经不再重要。佛派高层尤其是观音、如来才是决定事件走向的关键人物。在他们二位表态之前，猪八戒明智地选择了闭嘴。

此后，孙悟空演出了一场真假美猴王的大戏。在整场大戏中，一贯喜欢搬弄是非的猪八戒唯一一次闭上了嘴，反倒是一贯沉默的沙僧主动跳了出来。

第四十三节　沙僧暴走

作为出身天庭警卫系统的高级将领，沙僧深知“谨言慎行”的重要性。多年来，沙僧一直秉持“事不关己，高高挂起”的处事方针，在取经团队的各种纷争中，始终保持一种超然的姿态。

为何说是超然？只因沙僧在矛盾中的态度很模糊。猪八戒态度鲜明地力挺唐僧，沙僧则有时候帮大师兄说话，有时候帮师父说话。虽然我们把沙僧、白龙马归入孙悟空一派，但是，严格来讲，沙僧从来都不归任何派系，他自成一派。

乍一看，沙僧是“帮理不帮亲”，细细琢磨，这沙僧是能不开口绝不开口。静观其变，作壁上观，才是他为人处世的核心标准。这也难怪，他乃是奉了玉帝的密令下界，执行的就是监控取经团队的任务。

可是，在真假美猴王事件中，沙僧竟然一改往日的低调与平和，挥舞降妖宝杖，几次要和“孙悟空”拼命。这究竟是怎么一回事呢？

沙僧第一次发飙，是在花果山上。

当时，假猴王棒打唐僧，抢走行李。行李中大都是生活所需的各种杂物，并不重要，唯独唐太宗所赐的通关文牒贵重无比。没有了通关文牒，就无法在前行时证明唐僧大唐钦差、取经人的身份。

因此，取回行李成为唐僧师徒三人迫切的任务。猪八戒本来主动请命，唐僧却说猪八戒和孙悟空一贯不对付，去了徒惹纠纷，于事无补，建议让稳重的沙僧前去。

沙僧做惯了缩头乌龟，可这次事关重大，又是师父亲命，他无法拒绝，只得驾云前往。不过，沙僧早就请示了唐僧，此去花果山不求有功，但求无过。若是假猴王肯给行李，自然欢喜；若假猴王不给行李，那也不必纠缠，直接去南海找观音帮忙。

也就是说，沙僧前往花果山，本是一趟有惊无险的旅程。沙僧完全可以扮演往昔低调、平和的角色，与假猴王好聚好散。

可是，沙僧在花果山竟然发飙了。为何发飙？原文说：

“果跑进去，牵出一匹白马，请出一个唐三藏，跟着一个八戒，挑着行李；一个沙僧，拿着锡杖。这沙僧见了大怒道：‘我老沙行不更名，坐不改姓，那里又有一个沙和尚！不要无礼！吃我一杖！’好沙僧，双手举降妖杖，把一个假沙僧劈头一下打死，原来这是一个猴精。”

原来，假猴王想要代替唐僧五人组去取经，于是找了三个猴精变成了唐僧、八戒、沙僧模样，牵着白马，挑着行李。沙僧见有人假扮自己，于是大怒。

在《西游记》中，最招神仙妖魔仇恨的举动，就是变化成对方的模样。

在红孩儿故事中，孙悟空告诉观音，红孩儿变做她的模样，哄骗了猪八戒。一贯慈悲、端庄的观音勃然大怒。看原文：“菩萨听说，心中大怒道：‘那泼妖敢变我的模样！’恨了一声，将手中宝珠净瓶往海心里扑的一掼，唬得那行者毛骨竦然，即起身侍立下面。”

观音也好，沙僧也好，为何都无法忍受别人变成他（她）的模样？

人间百姓最重富贵，神仙妖魔则最重名声。有名声则有信徒，有信徒则有香火，有香火则有信仰之力，有信仰之力则有莫大法力，有莫大法力自然有无上地位。

只是，西游世界的神仙妖魔几乎都会变化之术，于是，维护自身形象，保持良好名声，就成了一个非常困难的问题。

正因为仙妖都会变化，维护名声困难，于是，早在亿万年前的仙界就已经流传下一个不成文的规定：拥有变化神通的仙妖可以任意变化，但绝不能变化成已成名仙妖的模样。若是变化成对方模样，就是犯下大忌，必然被对方无尽追杀。

正因如此，沙僧见到假沙僧才会暴走，并不顾群妖环绕，也要把假沙僧打死。

后来，猪八戒听闻花果山上有人变成自己模样，也同样大怒。他不顾沙僧劝阻，飞往花果山，在千百猴妖中成功击杀假八戒、假唐僧，夺回行李。猪八戒自己惫懒可以，自己胡作非为可以，但绝不容忍自己被冒名顶替！

沙僧的第二次暴走，是在南海见到真猴王时。原文说：“忽见孙行者站在旁边，等不得说话，就掣降妖杖望行者劈脸便打。这行者更不回手，彻身躲过。沙僧口里乱骂道：‘我把你个犯十恶造反的泼猴！你又来影瞒菩萨哩！’菩萨喝道：‘悟净不要动手，有甚事先与我说。’”

沙僧为何一见孙悟空的面就挥舞降妖宝杖，劈面就打？

看沙僧口中话语即可知因由。

原来，沙僧在三天前于花果山亲眼见到了孙悟空（假孙悟空）变化出取经团队，意图替代真身，前去灵山取经。沙僧发飙打死假沙僧后，被群妖围攻，差点死在花果山上。因此，他此刻见到孙悟空在南海，以为孙悟空又来欺骗观音，于是搂不住心中怒火，直接出手。

另外，沙僧很“聪明”。他知道孙悟空的筋斗云比自己快。他从花果山飞到南海，花了三个昼夜，可孙悟空驾筋斗云只需要一个时辰。孙悟空完全可以在三天前就来到南海，欺瞒观音。为了证明自己的忠心，为了证明自己的睿智，一贯低调的沙僧果断出手，击杀孙悟空。

以沙僧的身手当然是打不过孙悟空的，可是，眼前不是有观音在吗？沙僧此举，与其说是要打杀孙悟空，不如说是在向观音表态、邀功。

可是，沙僧万万没有想到，观音早就和孙悟空站在同一阵线上，两人早就串供了。观音喝道：“悟净，不要赖人，悟空到此今已四日，我更不曾放他回去，他那里有另请唐僧、自去取经之意？”

自己明明好心，却遭受观音冷遇，沙僧心中不忿，于是说出花果山另有一个孙悟空。观音无奈，只得让孙悟空前往花果山察看。

在飞往花果山找寻假猴王时，沙僧还特意扯住了孙悟空说：“大哥不必这等藏头露尾，先去安根，待小弟与你一同走。”沙僧认定了眼前这孙悟空既是持凶棒打唐僧的孙悟空，又是在花果山戏弄他老沙的孙悟空，于是扯住孙悟空，不许他先走。

沙僧为何如此怀疑孙悟空呢？

只因假猴王的种种举动，和真孙悟空的本意一般无二。

只是沙僧猜对了开始，没有猜对结局。假猴王确实就是真猴王所化，只是，沙僧万万没有想到，棒打唐僧的孙悟空最后竟然获得了佛派高层的支持。而被打的师父唐僧，反倒丧失了取经团队的话语权。

等到亲眼见到花果山另有美猴王时，沙僧一时也蒙了。到底是怎么一回事呢？估计一直要到观音亲自送孙悟空回归，听闻假猴王被真悟空打死，沙僧与猪八戒才能想通整件事。

毕竟沙僧站的层次还太低，他只是看到了唐僧与孙悟空之间的矛盾，却没有看到二人所代表的势力。在取经行动中，唐僧主要发挥的不过是一个象征符号的意义，实际推进取经大业的，则是拥有强大道家背景的孙悟空。

第四十四节　滑头牛王

在西游世界，最让如来头疼的妖怪是谁呢？

是金皘洞中的青牛精？

不是。如来对手持金刚琢的青牛精一点脾气也没有。若非孙悟空上门求助，还再三表态，您不出手我就撂挑子不干了，如来根本就不会派十八罗汉前往。如来对青牛精——更准确地说，是对青牛精背后的太上老君恭恭敬敬、客客气气。如来暂时不会也不敢和太上老君公开翻脸。

是狮驼国的金翅大鹏雕？

也不是。金翅大鹏雕很厉害，但并非西游世界最强的妖魔。为了降伏金翅大鹏雕，如来亲自出手。佛祖出行自然阵仗很大，不但有文殊、普贤二菩萨左右护卫，更有五百罗汉、三千揭谛跟随。有人说，是因为如来担心自己打不过，于是把佛派的全部人马都拉了过去。其实不然。论武艺，金翅大鹏雕顶多和孙悟空相当；论神通，不过就是飞得快些。他既没有通天灵宝相助，也没有孙悟空的金刚不坏之身。如来一人就轻松将其降伏。如来之所以亲自出手，并非金翅大鹏雕厉害，而是大鹏雕地位尊贵——名义上算是如来的舅舅。

在西游世界中，让如来最为头疼、最渴望收拾掉的妖怪，是牛魔王。

大家没有看错，就是孙悟空昔日的结拜大哥，号称“平天大圣”的西方大力牛魔王。

牛魔王为何会让如来头疼呢？

首先，牛魔王是西牛贺洲势力最大的魔王。

或许有读者会说，西天路上势力最大的魔王当属狮驼岭三魔。狮驼岭上有小妖四万七八千，大鹏雕更是狮驼国的国王。妖兵有多少，是衡量势力大小的重要标志，却并非最主要标志。

在西游世界，所有的妖王都有自己的地盘——势力范围。一般来说，妖王级别的，基本上是六百里或八百里。像白骨精，势力范围连一百里都没有，算是混得比较差的。

那狮驼岭三大魔王势力范围有多大?

原著中明确记载，狮驼岭一共八百里。再走四百里就是狮驼国。狮驼国就是一座城。也就是说，三大魔王的势力范围，当在一千六百里左右。

这个实力，在妖魔世界中算是相当强大了。当然，他们能占据一千六百里地盘，靠的是三人合力。

可是，牛魔王呢?

我们按照顺序一个一个算算。

原著中土地明确说："牛魔王使他来镇守号山，乳名叫作红孩。"即六百里号山本来是牛魔王的产业，他因为儿子修炼有成，就派儿子前来镇守。

女儿国落胎泉一向无人看守，在几年前，牛魔王让他弟弟如意真仙占了落胎泉，作为自己的产业，任何人前来讨要，都要交钱。女儿国的女人一旦怀孕，就有一半的概率怀男胎，怀了男胎就必须使用落胎泉水。如意真仙此举，不用整天抢劫，却可以坐享富贵，挟制一国百姓。

火焰山虽然有土地，但是土地不能灭火。老百姓想要生存，就必须前去拜求牛魔王的妻子铁扇公主。也就是说，铁扇公主没有用强，却成为八百里火焰山之主。

翠云山距离火焰山一千五百里，铁扇公主住在翠云山芭蕉洞中，周围数百里没有其他任何一个妖怪。铁扇公主等于又是翠云山之主。

牛魔王新纳了一个小妾玉面狐狸。玉面狐狸的父亲乃是一个万年狐狸精，霸占了积雷山。父亲死后，玉面狐狸招赘牛魔王。于是，至少六百里的积雷山又成了牛魔王的地盘。

虽然说这些地盘名义上分别属于儿子、妻子、小妾，但实际上大家都明白，牛魔王才是这些产业的真正主人。因此，牛魔王在西牛贺洲的势力范围，当在两千六百里到三千里之间。

这份实力，绝对是西游世界独一份。

其次，牛魔王从不公开与天庭、灵山对抗。

牛魔王是西游中一个很独特的妖怪。和其他所有神通广大的魔王都不同，牛魔王虽然广有产业，却从不招兵买马，更从不与天庭公开对立。

我们看看西游世界中被天庭征讨的妖怪，几乎无一例外犯下两项大错。

其一，公然与天庭叫板，竖起反旗。

其二，招兵买马，扩充势力，威胁到天庭安危。

比如孙悟空。

天庭为何要征讨花果山，剿灭孙悟空呢？孙悟空竖起“齐天大圣”旗帜只是一个原因，甚至可以说是一个次要原因。与孙悟空结拜的其他六个魔王，也号称啥大圣，天庭为何不去征讨？

孙悟空势力过于强大，才是天庭必须消灭孙悟空的真正原因。

曾经，孙悟空才是西游世界势力最强大的魔王，比狮驼岭上三魔王，比牛魔王都要强大。花果山广袤异常，虽然没有说具体有多大，但它可是十洲之祖脉、三岛之来龙。单单孙悟空麾下受过正规操练的猴妖，就有四万七千之众。花果山还有七十二洞妖王，那些妖王麾下妖兵少的有三五百，多的有三五千。花果山妖兵的总数至少超过十万。

或许正是亲身见证了孙悟空的崛起和没落，牛魔王在兄弟大闹天宫的风波后痛定思痛，才开始走了一条与万千妖怪截然不同的修仙之路。

是什么道路呢？

广交天下好友，苦心经营关系网，用关系网这种软实力，来替代招兵买马那种硬实力。

大闹天宫之后，牛魔王曾经到福陵山云栈洞拜访过猪八戒，也曾经到流沙河拜访过沙僧，却偏偏没有去看压在五行山下的结拜兄弟孙悟空。不是牛魔王薄情寡义，实在是在非常时期必须远离孙悟空这个惹祸精。

应该说，经过牛魔王的苦心经营，他已经编织了一张非常庞大的关系网。这份关系网的能量，足以和十万妖兵相当。

作为有编制的天庭仙人，火焰山土地神是怎么称呼牛魔王的？土地说："若还要借真蕉扇，须是寻求大力王。"孙悟空听不明白，土地才解释说，大力王就是牛魔王。此后，凡是土地提起牛魔王，从不称其为"魔王"，而是一口一个"大力王"。

在孙悟空和牛魔王打斗时，有人邀请牛魔王去吃饭。谁呢？碧波潭中的万圣龙王。这个万圣龙王可是一个非常了得的人物。后文中，孙悟空邀请二郎神去抓九头虫，说万圣龙王有偷盗佛宝的嫌疑。二郎神惊讶道："万圣老龙却不生事，怎么敢偷塔宝？"大家看看，一贯比孙悟空还要高傲的二郎神，对万圣龙王好感十足，一开口就说万圣龙王不生事，即便有事，那也是被人引诱的。

就是这样一位连二郎神都尊敬的万圣龙王，怎么称呼牛魔王的呢？万圣龙王说："是谁偷放牛爷的金睛兽也？"又说："似这般说，大王的骏骑，却如之何？"

大家看看，万圣老龙王对牛魔王那是相当客气，不是称牛爷，就是叫大王。他身为主人，对牛魔王所持的，却是下属的礼节。

正是因为牛魔王本身的强大神通，再加上庞大的势力范围，使一心统一西方世界的如来非常不满。

收拾掉牛魔王，是如来盘算了几百年的事情。只是，牛魔王一直都很小心，从不公开和天庭对立，更不招兵买马。如来虽想要出手，但很难找到机会。

当然，欲加之罪，何患无辞？在乌鸡国，如来就让文殊菩萨演了一场苦肉计，成功灭道崇佛。只是，乌鸡国王乃凡人一枚，毫无背景。而牛魔王却有着强大的道派背景，种种迹象表明，牛魔王的师父就是道派祖师太上老君。

太上老君为何会收牛魔王为弟子？如来又是如何在不激怒太上老君的情况下，收拾掉牛魔王的呢？

第四十五节　老君弟子

前文我们提到，太上老君片刻不离身的终极法宝并非金刚琢，而是芭蕉扇。虽然太上老君的芭蕉扇并非只有一把，但太上老君出品，必属精品。能得到一把太上老君用先天灵物打造的法宝的人，必定和太上老君有着莫大的关系。

菩提祖师就是太上老君，太上老君通过东海龙王，将金箍棒巧妙转赠给孙悟空。猪八戒靠服食大还丹修炼成仙，他的师父也是太上老君化身。进入仙界后，太上老君转手玉帝，将九齿钉钯赐给了八戒。

平顶山的金角、银角大王手中有太上老君的五件宝贝，其中一把是可以平地扇出火来的纯阳芭蕉扇。他们二位是看守金炉、银炉（不是八卦炉哦）的童子，算是太上老君的记名弟子，手中有太上老君的法宝，很正常。

作为从开天辟地之初就陪伴太上老君的青牛，拥有太上老君化胡为佛时期就大放光彩的金刚琢。这件三界奇宝平常就套在牛鼻子上，以吸收其法力，限制其神通。

观音也有一件太上老君出品的法宝——紫金铃。太上老君为何会送给观音这件法宝呢？原文其实有交代。五庄观故事中孙悟空推倒人参果树，求到南海观音处。观音得意地介绍，她和太上老君曾经有个赌赛，将杨柳枝放入八卦炉中炼化多日，看看放入玉净瓶水中能否复活。结果，观音获胜。其赌赛的奖品，应该就是紫金铃。

那么，铁扇公主手中的芭蕉扇是出自何处呢？原著五十九回灵吉菩萨介绍说："他的那芭蕉扇本是昆仑山后，自混沌开辟以来，天地产成的一个灵宝，乃太阳之精叶，故能灭火气。假若扇着人，要飘八万四千里，方息阴风。"

灵吉菩萨虽然没有明说芭蕉扇乃太上老君出品，但是，翻遍西游，在混沌开辟之初就四处活跃、收集灵宝的大仙唯独太上老君一人。银角大王手中的紫金葫芦，就是太上老君采摘自昆仑山上的仙藤。

何况金角、银角大王手中的纯阳芭蕉扇，可以平地出火，火势猛烈，和铁扇公主手中那把假扇的功效简直一模一样。

这就奇怪了，铁扇公主和太上老君究竟是什么关系，竟然得到了太上老君纯阳、纯阴两把芭蕉扇？

铁扇公主能有芭蕉扇，完全是因为扇子是牛魔王的。老牛常年在外，就把宝贝留在家中，给妻子使用。而火焰山百姓敬献礼品，也可以给妻子增加一点零花钱。

原著第六十回，孙悟空变成牛魔王样子骗到了芭蕉扇，却不会用。铁扇公主说："大王，与你别了二载，你想是昼夜贪欢，被那玉面公主弄伤了神思，怎么自家的宝贝事情，也都忘了？"

铁扇公主说，宝贝是牛魔王自家的。

那么，牛魔王为何能拥有两把芭蕉扇呢？因为，牛魔王是太上老君（人间化身）的弟子，太上老君给他的礼物，就是一阴一阳两把芭蕉扇。

有什么证据证明牛魔王是太上老君的弟子呢？

其一，拥有地煞七十二变。

看原文：“好魔王，他也有七十二变，武艺也与大圣一般，只是身子狼犺些，欠钻疾，不活达些。”

在《西游记》中，唯一和孙悟空一样，拥有七十二般变化的，不是二郎神，而是牛魔王，并且两人武艺一般无二。若非出自同门，怎能如此？而身子大，笨拙一些，又和猪八戒的变化之术不如孙悟空相似。

细细算来，太上老君在人间已经收了三个徒弟了。他收徒可不是随便收的。这每一个徒弟，都和太上老君的千年反天大计有关。

其二，在促成孙悟空大闹天宫的问题上，发挥过关键作用。

前文提到，太上老君发动大闹天宫的目的有两个：一是要证明自己的实力，让玉帝不敢小觑；二是要让孙悟空打入佛派，完成夺回佛派大权的计划。

孙悟空在回到花果山后，遨游四海，结交了不少朋友，其花果山结义时，大哥就是牛魔王。后来，孙悟空提议，大家都称大圣，共同反抗天庭。原文说：“内有牛魔王忽然高叫道：‘贤弟言之有理，我即称做个平天大圣。’”

为何牛魔王是“忽然高叫”，只因孙悟空这个意见一提出，诸位兄弟都陷入沉默。关起门来自封妖王魔王，天庭不会追究。可是，公然称大圣，与天庭叫板，那就等同造反了。若众兄弟都不响应，孙悟空独木难支，花果山的造反运动很可能花还未开就凋谢了。

关键时刻，老牛力挺孙悟空，并且表态自己要做平天大圣。什么叫平天大圣？即扫平天庭，比齐天大圣还要牛。

可惜，在天庭兵马围剿花果山时，在孙悟空被压在五行山下五百年间，牛魔王和其他五大圣都神秘消失，不见踪影。

并非牛魔王胆小怯弱，只顾保命，只因他的任务已经完成，自然可以功成身退。

其三，牛魔王一直在秘密为太上老君服务，挑拨各路豪强反对天庭，反对佛派。

牛魔王的第一个任务是调唆、促成孙悟空造反。

牛魔王的第二个任务则是广交西方各路豪强，挑拨他们反对天庭，反对佛派。

在《西游记》中反复提到牛魔王交友广阔，虽然具体只是提到了一个碧波潭的万圣龙王，但窥一斑而知全豹。在交游中，牛魔王的目的性很明确。

过了火焰山之后，唐僧师徒来到了祭赛国。祭赛国宝塔上的舍利子被偷走了，惹出孙悟空大战九头虫、血洗碧波潭的故事。万圣龙王本是一个安分守己的龙王，竟然成了偷窃佛宝的罪人。而万圣公主更嚣张，为了滋养舍利子，竟然跑到大罗天灵霄宝殿，偷盗王母娘娘的千年灵芝草。

是谁告诉他们用血雨可以玷污舍利子，是谁告诉他们如何上天偷盗的？非得有那么一个精通佛派知识、了解天宫地形图的人物才可能办到。

这个人可不就是太上老君吗？正是太上老君把消息告诉牛魔王，牛魔王再挑拨万圣龙王、万圣公主、九头虫去干。

其四，牛魔王已经拥有了仙界编制。

正因为几百年来牛魔王干得不错，作为回报，太上老君给了牛魔王隐秘的仙界编制。

原著第六十一回牛魔王说："他二徒弟猪精，三徒弟沙流精，我当年做妖怪时，也曾会他，且变作猪精的模样，返骗他一场。"既然是当年做妖怪时如何，可见如今已经不做妖怪了。不做妖怪那做什么呢？当然是做神仙。

前文我们提到火焰山土地，他称呼牛魔王就是一口一个大力王，或者牛王，绝对不称妖或魔。只因，人家是有仙界编制的。

只是，牛魔王这仙人编制，应该是太上老君麾下的，玉帝并不承认，或者说表面上承认，心中嫉恨。

眼看着牛魔王在西方的势力日渐壮大，虽然没有扯旗造反，但是经常暗中搞破坏，如来很恼火，玉帝也很恼火。在仔细权衡利弊后，如来与玉帝联手，发动了一场规模空前、震动三界的大围捕行动。

第四十六节　霸气土地

西游世界的土地虽然也拥有仙界编制，可是修为低下，不过是鬼仙级别；寿命短暂，一般只能活三五百年。

土地一般都活得很卑微。在五庄观中，孙悟空打下第一个人参果，却发现人参果遁地而去不见了。孙悟空大怒，认为是土地偷了去。他念咒唤来土地，威胁要把人家的腿打断。土地忙说："大圣，错怪了小神也。这宝贝乃是地仙之物，小神是个鬼仙，怎么敢拿去？就是闻也无福闻闻。"在西游世界，地仙这个级别的仙人满街跑，太白金星等九曜、奎木狼等二十八宿，包括猪八戒、沙僧那都修到了地仙级别。但在土地看来，地仙已经是遥不可及、高高在上的存在。作为五庄观一方土地，别说与地仙结交，平时就连闻一闻人参果的资格都没有。

当然，土地虽然卑微，但毕竟是仙人，掌握十里八乡一方百姓的福祸。在正常情况下，他们基本上衣食无忧。

西游世界最卑微的土地，当属号山的几十个土地。号山不过六百里，每隔十里一山神，每隔十里一土地。这些土地，不但每个月都要轮番给火云洞红孩儿看门、烧火、巡山，还要缴纳赋税，若拿不出钱来，就会被剥衣服、拆庙宇。土地本来就是微末小神，靠着百姓的些微供奉过活，缴纳了赋税后，连平常生活都难以为继。孙悟空眼中的号山土地，个个衣衫破烂，面有菜色，哪里还有一点仙家气度，活脱脱一群乞丐。

前有太上老君的烧火童子，后有太上老君徒弟的儿子，都把山神、土地当仆役，也算是前后呼应，旗鼓相当。

可是，《西游记》中还有一位土地，出场霸气十足，一开口更把西方世界头号魔王送上绝路。这个土地，就是火焰山土地。

火焰山方圆八百里，地域宽广，堪比一国，可是仅有一个土地。这土地地盘之大，绝对是西游世界独一份。

土地一般是什么样貌、打扮？因为寿命短暂，法力低微，一般土地都是白发苍苍、身材矮小、拄个拐杖、抖抖索索的老穷酸模样。火焰山土地呢？原文说：“四众回看时，见一老人，身披飘风氅，头顶偃月冠，手持龙头杖，足踏铁幼靴，后带着一个雕嘴鱼腮鬼，鬼头上顶着一个铜盆，盆内有些蒸饼糕糜，黄粮米饭。”

乍一看，或许不明白这身打扮奇怪在何处。后文中猪八戒一句话说破了：“怪道你这等打扮！原来是道士变的土地！”原来，这火焰山土地没有穿三界统一的土地工作服，而是穿了一身道袍。虽然原著中没有正面描写火焰山土地的样貌神情，但我们可以想象，这土地绝非面黄肌瘦、老迈苍苍，而应当是富贵气息十足，典型的官老爷派头。

火焰山土地不是一个人前来，身后还跟着一个鬼兵，用头顶着食物，献给唐僧。后文又提到土地率领数百阴兵，帮助孙悟空作战，以一人之力喝退牛魔王。翻遍西游，拥有如此威风、如此权势的土地，唯有火焰山土地一人。

为何他能够例外呢？

因为人家有后台。火焰山土地乃是太上老君看守八卦炉的童子。

当孙悟空询问火焰山来历时，土地不卑不亢地说：“大圣若肯赦小神之罪，方敢直言。”孙悟空让直言。土地道：“这火原是大圣放的。”孙悟空怒道：“我在那里，你这等乱谈！我可是放火之辈？”

若是其他土地，看到孙悟空发飙，哪一个不瑟瑟发抖，还敢出声？当初平顶山几个山神听从银角大王移山填海咒语，搬来大山压住孙悟空。听护驾伽蓝说，被压住的乃是孙悟空，山神一个个吓得半死。大家都知道孙悟空经常欺负山神、土地，动不动就要把人家的腿打断。可是，后来他们还是不得不前去领罪。

可是，面对齐天大圣的怒火，火焰山土地全不在意。他说："是你也认不得我了。此间原无这座山，因大圣五百年前大闹天宫时，被显圣擒了，压赴老君，将大圣安于八卦炉内，煅炼之后开鼎，被你蹬倒丹炉，落了几个砖来，内有余火，到此处化为火焰山。我本是兜率宫守炉的道人，当被老君怪我失守，降下此间，就做了火焰山土地也。"

土地把火焰山的来历娓娓道来，不但没有丝毫示弱，反倒有几分高傲在内。

什么叫"是你也不认得我了"？

在西游世界中最霸气的打招呼，莫过于弥勒佛的那句："悟空，认得我吗！"在弥勒佛看来，自己乃堂堂佛派未来佛祖，孙悟空应当认识自己，也必须认识自己。这话看似疑问句，其实没有丝毫询问的意思。一贯傲视三界的孙悟空，面对更加傲慢的弥勒佛，竟然是"连忙下拜"，简直让人大跌眼镜。

孙悟空这个人，从来都是"欺软怕硬"。一旦知道对方比他强，并且有敌意，孙悟空根本不敢得罪。像孙悟空对如来非常敬畏，只因五百年前被人家一巴掌拍得半死。而对地位更高的玉皇大帝反倒不够尊敬，一直等到真假美猴王一回中，孙悟空才口称万岁，从此以臣子自居。

从火焰山土地这句话中，也可以看出其如弥勒佛一般的霸气。在他看来，孙悟空也应该认识他。并且，言语中，土地充满了怨念——就是因为你，我才会丢掉了高贵的工作（寻常人物可不配给太上老君烧火！）。而像金角、银角大王就根本没有把孙悟空放在眼里；像青牛精，除了主人公太上老君，三界之中他根本不惧任何人。

火焰山土地这番话中蕴含的霸气，比弥勒佛自然要差些，可是面对发怒暴走状态的孙悟空，他依然能镇定自若，侃侃而谈，语带讽刺。卑微如土地，却能混得如此霸气，三界之中唯有火焰山土地一人。

我们称他为西游世界最霸气的土地，他当之无愧。

第四十七节　潜伏使命

五六百年前，孙悟空大闹天宫，踢倒八卦炉，炉中几块砖头掉落人间，化为火焰山。之后，火焰山犹如一座天然屏障，将东西方隔开。火焰山附近数千里地方的无数百姓，从此过上了犹如炼狱一般的生活。

天庭知道这件事情吗？知道。天庭是如何应对的呢？太上老君以渎职罪名义，将看守八卦炉的童子贬下凡间，充作火焰山的土地。

有一个疑问来了，为何天庭、太上老君在得知情况后不收回火焰山，或者把火给灭掉呢？

以太上老君三界第一仙的身手，捡几块废弃砖头回家，完全不费吹灰之力。就算太上老君事务繁忙，日理万机，派个童子拿芭蕉扇来，也完全可以对付。

前文我们说了，太上老君的芭蕉扇可不止一把，除了他本人那把可攻击元神的本命法宝芭蕉扇，他麾下的炼丹童子，则人手两把：一把纯阴扇，可以灭火；一把纯阳扇，可以兴火。也唯有如此，才能够很好地控制炼丹火候。

就算火焰山土地的两把扇子被扣押在天上，没有带下凡间，他也可以找牛魔王来借，把火焰山的火给彻底灭了啊！

可是，火焰山存在了一年又一年，最终存在了五六百年，始终屹立不倒，仿佛还要如大地河川一般，亿万年存在下去。

唯一改变的，是在火焰山地区流传出一个民谣：若知糕粉米，敬求铁扇仙。

从此之后，当地百姓十年一次组队长途跋涉到一千五百里外的翠云山芭蕉洞找寻铁扇公主，求人家出面给扇三扇子。这三扇子可以保一年风调雨顺，大家赶紧播种。至于其他九年，就不知道如何过活了。

这个民谣出自谁手？自然是火焰山土地。

太上老君这么做，究竟有什么目的呢？看炉童子在人间等候了五六百年，到底在等什么呢？

我们仔细看看火焰山土地何时登场，登场后说了什么、做了什么，就可以发现火焰山背后隐藏的真正秘密。

此前，孙悟空听从当地百姓介绍，到翠云山芭蕉洞中找铁扇公主借芭蕉扇。孙悟空巧施手段，钻入铁扇公主肚子中，逼迫对方不得不交出一把扇子。可惜，武力压迫换不来真心对待。铁扇公主给他的，不是灭火的纯阴芭蕉扇，而是兴火的纯阳芭蕉扇。结果，孙悟空几扇子下去，不但火焰山的火没有灭掉，反而烧掉了自己屁股上许多毫毛。

就在孙悟空屁股疼痛、心情糟糕的时刻，火焰山土地悠然登场。他一副高人模样，指点孙悟空说："若还要借真蕉扇，须是寻求大力王。"

火焰山土地为何此时登场？登场后为何一开口就说这句话？

若火焰山土地不出现，正常的剧情会怎么走？

孙悟空受骗烧了屁股上的毛，大怒之下，必然重返翠云山芭蕉洞找铁扇公主。此前，大家还是有商有量，可是现在铁扇公主骗人在先，也就怨不得孙悟空凶相毕露了。

一种可能是孙悟空发起狠来，把铁扇公主一棒子打死，抢来真芭蕉扇，顺利通过火焰山。还有一种可能是铁扇公主无奈服软，主动献上真芭蕉扇。总之，按正常剧情，完全可以在不惊动牛魔王的情况下，唐僧师徒顺利通过火焰山。

唯一的理解就是，火焰山土地是奉命前来，他说这番话的目的只有一个，将祸水引向牛魔王。

孙悟空也是个聪明人，他对火焰山土地这个提议"半信不信"，让土地详细说说，为何一定要找牛魔王才能拿到真扇子。别人或许不清楚，他孙悟空可明白，老牛的神通绝不在他之下。

土地没有正面回答提问，反倒告诉孙悟空哪里可以寻到牛魔王。原来，那牛魔王最近两年都没有回家，一直住在积雷山玉面狐狸精处。最后，土地才说："若大圣寻着牛王，拜求来此，方借得真扇。一则扇息火焰，可保师父前进；二来永除火患，可保此地生灵；三者赦我归天，回缴老君法旨。"

土地大讲特讲得到真扇之后的三大好处：其一，对唐僧师徒有利，可顺利通过火焰山，距离取经功成又近了一步；其二，对当地百姓有利，可用真扇永远灭火，救护百姓，积累功德；其三，火焰山土地可以完成任务，回天界向太上老君复命。

奇怪的是，孙悟空听了这个不是理由的理由，竟然立刻就不再纠缠为何找牛魔王才能得到真扇了。从这一刻起，孙悟空就不去为难铁扇公主了，而把降伏牛魔王当成最重要的任务。随后，两人之间几番争斗，简直就是不死不休。

这是为何呢？

因为火焰山土地这番话看似不着调，其实传递给孙悟空一个重要信息：太上老君希望孙悟空以找寻真芭蕉扇为名，降伏牛魔王。唯有降伏了牛魔王，土地说的三个美好前景才能够实现。

前文不是说牛魔王是太上老君的弟子，数百年来一直尽心尽力为太上老君办事吗？为何太上老君命令孙悟空干掉牛魔王呢？

卸磨杀驴？不对啊，太上老君既没有夺回佛派控制权，也没有推翻玉帝，为何在成功之前就灭杀自己的左膀右臂呢？莫非太上老君活傻了？

为了帮助孙悟空降伏牛魔王，那火焰山土地也拼了。孙悟空前往找寻牛魔王，大战一天一夜打了个平手。之后，唐僧让猪八戒前去帮忙。那火焰山土地也率领阴兵前去帮忙。

一般的土地法力低微，可火焰山土地乃太上老君记名弟子，身手相当了得，至少不在猪八戒之下。两人见孙悟空大战牛魔王，土地说："天蓬还不上前怎的？"看看这口气，完全是命令猪八戒。猪八戒不以为忤，很听话地冲上前去。

话说火焰山土地为何不上前？因为各有职责。取经行动降妖伏魔的是唐僧师徒，在不伤及性命的情况下，六丁六甲、五方揭谛、护驾伽蓝等护法仙人都不会出手，更不要说临时客串的火焰山土地了。

不过，火焰山土地在这场伏魔大战中发挥了不可或缺的重要作用。

牛魔王想要逃跑时，火焰山土地率领阴兵阻拦，牛魔王竟然不敢冲阵，转身逃跑。由此可见，牛魔王是完全知道火焰山土地的来历和神通的。

之后，积雷山玉面狐狸洞中的百十个妖兵冲出来营救牛魔王，在土地与阴兵的保护下，孙悟空和猪八戒才成功逃离。

在几番挑战牛魔王不成功后，孙悟空灰心丧气，猪八戒又一次提出散伙。火焰山土地却说："大圣休焦恼，天蓬莫懈怠。但说转路，就是入了旁门，不成个修行之类，古语云，行不由径，岂可转走？你那师父，在正路上坐着，眼巴巴只望你们成功哩！"

孙悟空初次大战就和牛魔王打了个不分胜败，可是，猪八戒加入后，两人战牛魔王依然是平分秋色。这是为什么呢？

因为牛魔王在性命攸关时，潜力爆发？这只是一个方面。

我看，更重要的是，孙悟空拿不准太上老君为何要收拾牛魔王。

孙悟空和牛魔王虽然是结拜兄弟，但互相之间只是久仰大名，并没有交过手。因此，牛魔王才会说："你若三合敌得我，我着山妻借你；如敌不过，打死你，与我雪恨！"可见两人对彼此的神通法术、压箱底的功夫并不清楚。

可是，一番大战后，孙悟空发现牛魔王的武艺、神通在许多方面都和自己惊人相似。此前，孙悟空只知道铁扇公主有太上老君的芭蕉扇，经过火焰山土地介绍，才知道铁扇公主是牛魔王的妻子。联系种种，聪明的孙悟空应该已经猜到了牛魔王也是太上老君的弟子。

正因如此，才会出现孙悟空、猪八戒双战牛魔王旗鼓相当的情况。

可是，土地再次提醒孙悟空和猪八戒，不可转走，只能向前。必须降伏牛魔王。

听了此话，孙悟空发狠说："正是正是，呆子莫要胡谈！土地说得有理，我们正要与他：赌输赢，弄手段，等我施为地煞变。自到西方无对头，牛王本是心猿变。今番正好会源流，断要相持借宝扇。趁清凉，息火焰，打破顽空参佛面。"

什么叫作"牛王本是心猿变"？牛魔王当然不是孙悟空，可是二人都曾经为妖为魔。昔日孙悟空被天庭围剿，今日牛魔王也难逃此路。什么叫作“今番正好会源流”？只因孙悟空和牛魔王系出同源，大家都是一个师父教出来的弟子。

我们仔细品味火焰山土地和孙悟空的一番话，就可以明白太上老君的真正意图。

作为太上老君的弟子，牛魔王唆使他人对抗佛派、天庭，已经成为佛派必须剿杀的对象。与其让牛魔王被他人剿杀，不如由孙悟空将其降伏，以牛魔王的牺牲为代价，进一步铺平孙悟空的成佛之路。

在真假美猴王事件中，如来亲口答应：“功成归极乐，汝亦坐莲台。”可是，坐莲台的就是佛吗？菩萨甚至罗汉，都是坐莲花台的。孙悟空只有继续做出别人无法做成的功绩，如来才会拿出相应的回报。

话说回来，以牛魔王的神通，他归顺佛派之后，至少也是一个罗汉级别。万一哪天太上老君有需要，顶层佛级中有孙悟空，高层菩萨级有猪八戒，中层罗汉级有牛魔王，三大弟子在三个层级都有人脉，这不是挺好？

第四十八节　不借扇子

按照孙悟空的说法，牛魔王乃是自己五百年前的结拜大哥，虽然彼此来往少了一些，可是情义犹在。孙悟空途经火焰山，需要借芭蕉扇灭火，牛魔王本应该痛快相借才对。

事实却是牛魔王一见孙悟空就勃然大怒，一番交谈后更是刀兵相见，几乎就是不死不休。牛魔王与孙悟空之间到底发生了什么，导致牛魔王恨意难消？

牛魔王恨孙悟空有三个原因。这三个原因中，前两个都是次要原因，第三个才是主要原因。

牛魔王恨孙悟空的第一个原因：夺子之仇。

在落胎泉边，孙悟空遇见了红孩儿的叔叔如意真仙。一番介绍后，如意真仙提起如意钩要杀人，口中还愤愤然说："我舍侄还是自在为王好，还是与人为奴好？不得无礼！吃我这一钩！"在如意真仙看来，给观音做奴才远不如在山中做妖王来的自在。作为一方霸主的他，最看重的是自由。

芭蕉洞前，铁扇公主说："我那儿虽不伤命，再怎生得到我的跟前，几时能见一面？"铁扇公主是红孩儿的母亲，在母亲的心中，什么寿与天齐，什么修成正果，都不重要，重要的是想见儿子就能看见，重要的是母慈子孝的天伦之乐。

应该说，如意真仙和铁扇公主都知道，观音收走红孩儿并非绝对的坏事，至少也是有利有弊。

那么，牛魔王是如何看待这件事呢？原文说："我闻你闹了天宫，被佛祖降压在五行山下，近解脱天灾，保护唐僧西天见佛求经，怎么在号山枯松涧火云洞把我小儿牛圣婴害了？正在这里恼你，你却怎么又来寻我？"

牛魔王初次谈起红孩儿事件，口吻几乎和兄弟、妻子一模一样，认定红孩儿是被孙悟空“害”了，说自己心中其实是“恼”的。

这是牛魔王的心里话吗?

孙悟空告诉牛魔王红孩儿加入观音麾下的种种好处：“现今做了善财童子，比兄长还高，享极乐之门堂，受逍遥之永寿，有何不可，返怪我耶?”

孙悟空提出，红孩儿成为善财童子之后，有两大好处：其一，有了观音做靠山，从此前途无忧；其二，有观音相助，红孩儿进阶天仙、寿与天齐指日可待。

听闻如此说，牛魔王回答：“这个乖嘴的猢狲！害子之情，被你说过。”孙悟空一番话，让身为父亲的牛魔王立刻放弃了对孙悟空的追究。

有人就此提出，牛魔王与红孩儿父子感情淡薄，甚至说，这就可以证明红孩儿不是牛魔王亲生的儿子。

其实，牛魔王对孙悟空态度的变化，正说明了牛魔王是红孩儿的生父。

身为父亲，最大的希望是什么？当然是希望自己的孩子过上有前途的生活。所以，对红孩儿投身观音门下，牛魔王的看法与弟弟、妻子不尽相同。虽然说以后见面不大方便，毕竟红孩儿也是前途光明的人了。所谓“一入公门深似海，从此自由是路人”，要想在事业上闯出一番成就，当然要舍弃一些东西，比如自由，比如亲情。

万事有舍才有得。牛魔王非常清楚，红孩儿加入观音门下，利大于弊。甚至，他可能早就得到高层的暗示，自己的孩子将投入观音门下。因此，对于红孩儿做善财童子一事，牛魔王只是假装生气，实际上是轻轻带过。

再看牛魔王恨孙悟空的第二个原因：欺妾之恨。

原文说："牛魔王骂道：'你才欺我爱妾，打上我门何也？'"

原来，孙悟空听土地介绍，牛魔王近两年都不在翠云山芭蕉洞，而在积雷山摩云洞，于是前往寻找。来到摩云洞前，孙悟空看到一美貌女子——玉面公主，他一番询问竟然惹来痛骂。孙悟空怎肯吃亏，抽出金箍棒作势就要打。玉面公主又惊又怒，逃回摩云洞。等牛魔王回归，玉面公主添油加醋一番告状。牛魔王心中当然很不痛快。

不过，牛魔王就此和孙悟空割袍断义，不再来往了吗？根本没有。

孙悟空道："是小弟一时粗卤，惊了嫂嫂。望长兄宽恕宽恕！"牛魔王道："既如此说，我看故旧之情，饶你去罢。"

在孙悟空亲口道歉的情况下，牛魔王也表态不再追究。孙悟空虽然得罪了玉面公主，但在牛魔王心中并不算个事。玉面公主在牛魔王的心目中，地位其实非常低。现在孙悟空道歉了，牛魔王也就不再生气了。毕竟孙悟空可是齐天大圣，牛魔王没事可不想招惹这尊瘟神。

那么，到底是什么原因，使得牛魔王不肯借出芭蕉扇呢？

牛魔王恨孙悟空的第三个原因：骗妻之辱。

孙悟空看牛魔王心情还不错，于是提出借芭蕉扇一用。孙悟空的语气非常谦恭。原文说："昨到旧府，奉拜嫂嫂，嫂嫂坚执不借，是以特求长兄。望兄长开天地之心，同小弟到大嫂处一行，千万借扇扇灭火焰，保得唐僧过山，即时完璧。”

按照常理，既然牛魔王已经表态不怪罪孙悟空降伏了他儿子红孩儿，也不怪孙悟空欺辱了他小妾玉面公主，那么，人家提出借扇一用，就应该借给对方才是。多一个朋友，总比多一个敌人要好嘛。能得到孙悟空的一份人情，也算不错的交易。

可牛魔王的反应让人大吃一惊。原文说牛魔王“心如火发，咬响钢牙”，口中还说：“你说你不无礼，你原来是借扇之故！一定先欺我山妻，山妻想是不肯，故来寻我！且又赶我爱妾！常言道，朋友妻，不可欺；朋友妾，不可灭。你既欺我妻，又灭我妾，多大无礼？上来吃我一棍！”

牛魔王为何翻脸呢？只因为孙悟空的言语触及牛魔王的逆鳞。

牛魔王一生最无法容忍的，就是别人欺负他妻子铁扇公主。当时牛魔王可没有回芭蕉洞，并不知道家里发生了什么事情。可是，他仅仅是依据孙悟空说曾到芭蕉洞借扇，就认定孙悟空是欺负了自己妻子。

是可忍，孰不可忍，于是牛魔王暴走了。

不过，此时的牛魔王还没有和孙悟空打算斗个不死不休。他答应孙悟空：“若三合敌得我，我着山妻借你；如敌不过，打死你，与我雪恨！”

可是，一天之后，牛魔王的态度又变了，变成了宁死也不借芭蕉扇。铁扇公主曾经流着泪劝说牛魔王，希望借出扇子，了结这场祸事。可是，牛魔王恨恨然说：“夫人啊，物虽小而恨则深。”

牛魔王到底在恨什么?

火焰山土地和牛魔王是老相识，前来劝牛魔王献出芭蕉扇。牛魔王大骂:“你这土地，全不察理!那泼猴夺我子，欺我妾，骗我妻，番番无道，我恨不得囫囵吞他下肚，化作大便喂狗，怎么肯将宝贝借他!”

由此可见，牛魔王恨孙悟空的最重要原因是骗妻之辱。夺子之仇、欺妾之恨，牛魔王都可以放下，唯独放不下的，是孙悟空欺骗了他妻子铁扇公主。

在这一天中，孙悟空究竟做了什么欺负铁扇公主的事情?

原来，就在孙悟空与牛魔王大战之后，牛魔王应邀前往碧波潭赴宴。孙悟空趁机变作牛魔王的模样，盗走碧水金睛兽，并前往芭蕉洞，从铁扇公主手中骗走了真的芭蕉扇。

牛魔王为何宁肯违背高层命令，宁肯放弃个人前程，也不肯放过孙悟空呢?孙悟空与铁扇公主之间究竟发生了什么事情?

第四十九节 调戏嫂嫂

铁扇公主乃鬼修成仙，与孙悟空两度交手，第一战十余回合，第二战五七回合，武力堪比白龙马，更兼她手中有三界奇宝芭蕉扇，令她总体实力暴增。

不过，剿灭牛魔王乃是取经行动中的一项重大任务。如来早在五百年前就做出了安排。灵吉菩萨的定风丹，就是由如来研发，目的即是对付牛魔王的芭蕉扇。

见孙悟空口含定风丹，岿然不动后，铁扇公主心慌，只得退回洞府。孙悟空见武力无效，就改用法术，寻机钻入铁扇公主肚中。看原文：

“（孙悟空）现原身厉声高叫道：‘嫂嫂，借扇子我使使！’罗刹道：‘孙行者，你在那里弄术哩?’行者道：‘老孙一生不会弄术……我知你也饥渴了，我先送你个坐碗儿解渴！’却就把脚往下一登。那罗刹小腹之中，疼痛难禁，坐于地下叫苦。行者道：‘嫂嫂休得推辞，我再送你个点心充饥！’又把头往上一顶。那罗刹心痛难禁，只在地上打滚，疼得他面黄唇白，只叫：‘孙叔叔饶命！’”

面对铁扇公主，孙悟空不但狠辣，而且薄情。他一边上蹿下跳，把铁扇公主的脏腑之地当成游乐场，一边还口中全是嘲弄戏耍之词。两人的这段对白充斥的是浓浓的火药味，哪里有半点情意。

在铁扇公主忍耐不住表态投降后，孙悟空满是骄傲地说：“你才认得叔叔么?”孙悟空心中有气。在他看来，身为齐天大圣的他，一辈子从没有向人低头，但为了借扇子，他在铁扇公主面前好言说尽，可铁扇公主就是不听。那么，软的不行来硬的，敬酒不吃吃罚酒。孙悟空就是要折腾到铁扇公主服软。

在铁扇公主拿出扇子后，孙悟空依然不放心。这钻人肚皮的法术有一个重大缺陷：一旦飞出，就对他人失去了控制力。当初对付黑熊精时，孙悟空一飞出，人家就翻脸了。

为了避免被咬（孙悟空的变化之术还不完善，在变成小虫时，拥有了小虫的飞行能力，却丧失了本体的金刚不坏能力，因此怕被咬），孙悟空耍了一个心眼，他说："你把口张三张儿。"之后立刻变成小虫，飞了出来。铁扇公主还在张嘴三次，连连喊着："叔叔出来罢。"

孙悟空万万没想到，道高一尺，魔高一丈。孙悟空有心算计铁扇公主，却不提防被铁扇公主算计了。他借走的假扇子，乃是太上老君的纯阳芭蕉扇，他在火焰山一扇之下，平地火焰腾起千丈，把他屁股上的毫毛都烧掉不少。

从以上分析可以看出，原著中的一调芭蕉扇，没有丝毫色情意味，有的只是阴谋味、血腥味。

正因这次中计，孙悟空怀恨在心，打定主意要报复铁扇公主。在二调芭蕉扇中，孙悟空的手段多少就有些龌龊，上不得台面了。

对于一调芭蕉扇事件，牛魔王虽大怒，但还可以强行忍下。毕竟孙悟空背景深厚，不好招惹。但对于二调芭蕉扇事件，牛魔王怒火冲天，发誓要和孙悟空不死不休。

那么，在二调芭蕉扇事件中，孙悟空究竟对铁扇公主做了什么？

我们要准确理解二调芭蕉扇中孙悟空的言行，就必须将其放在宋明时期那个特定的环境下去分析。因为有一些在我们今天看来无伤大雅的举动，在古代却为大逆不道，要被浸猪笼、沉潭。

宋明时期理学盛行，男女大妨极严。即便是叔嫂之间，拉拉手都不行。在那个时代有一个问题非常流行：嫂嫂落水了，身为叔叔

（丈夫之弟）应不应该伸手救援？

如果伸手，就破了男女授受不亲的铁律，这妇女即便活了下来，也会被他人戳脊梁骨、骂淫贱；如果不伸手，嫂嫂就会淹死，而坐看亲人死去，这叔叔也会被人戳脊梁骨、骂冷血。

怎么办好呢？有个人提出个解决办法，即叔叔拉嫂嫂上岸后，嫂嫂自断一臂，彼此名节都可以保存。

为何是女方而不是男方自断一臂呢？这很不公平啊！其实，这个世界根本就没有绝对的公平，谁让古时候是男尊女卑的时代呢！

下面我们来看一看孙悟空究竟对嫂嫂铁扇公主做了哪些事。

一是拉手。

原文说："酒至数巡，罗刹觉有半酣，色情微动，就和孙大圣挨挨擦擦，搭搭拈拈，携着手，俏语温存，并着肩，低声俯就。"

孙悟空变成牛魔王模样进入芭蕉洞。铁扇公主两年未见丈夫，一见大喜，立刻摆酒宴请夫君。最开始，彼此还有些陌生。酒过三巡，两人都熟络起来。尤其是铁扇公主，很是主动。

虽然孙悟空是变化之身，虽然是铁扇公主主动行动，但孙悟空确确实实拉了铁扇公主的手。

拉手，在我们看来很寻常。可在古代，拉手就叫作有了肌肤之亲，有了肌肤之亲那就要结婚，要负责任。

二是间接接吻。

原文说："将一杯酒，你喝一口，我喝一口，却又哺果。"

孙悟空和铁扇公主端着同一杯酒，你喝一口，我喝一口，这就等于间接接吻。在古代，这举动在夫妻之间也算非常亲密。不仅如此，双方还给对方口中喂果子。这里没有强调主语，那就应当是铁扇公主给孙悟空喂果子，孙悟空也给铁扇公主喂果子。两人有来有往，好不融洽。

三是搂抱。

原文说："大圣假意虚情，相陪相笑，没奈何，也与他相倚相偎。"

虽然原著强调孙悟空是虚情假意，但事实是孙悟空搂了嫂嫂，也抱了嫂嫂。如果说最开始的拉手还只是肌肤之亲的第一步，这搂抱绝对算是第二步。如果说被拉手后女子还可以用自断一臂来洗刷污名，那么被搂抱之后女子除了自杀已经别无他途。

四是其他未述之事。

在搂抱之后，孙悟空与铁扇公主之间还有更进一步的动作吗？两人有没有突破最后一关呢？原文没细写，只是用了一句"醉来真个玉山颓，饧眼摩娑几弄丑"来概括。

铁扇公主见到丈夫回归，满心欢喜，真心相待，于是种种"丑态"毕露。孙悟空看了，心中大悦。

有一个问题值得我们思考：孙悟空是不是一定要通过变成牛魔王，并且与铁扇公主调情的方式，才能得到芭蕉扇呢？

根本不需要。

铁扇公主的第一把扇子已经被孙悟空借走，没有归还。只要孙悟空打上芭蕉洞，铁扇公主就必须老老实实交出真扇子。实在信不过铁扇公主，孙悟空也可以现场验证，扇一扇子再走。

换言之，孙悟空完全可以用更直接、更便捷的方式得到芭蕉扇。那样的话，他与牛魔王、铁扇公主的关系也不致闹到后来那么僵。

事实上，孙悟空偏偏选择了一条困难的、容易激怒牛魔王的解决方式。他变成牛魔王，对自家嫂嫂百般调戏，并且在得到芭蕉扇后，更做出许多羞辱举动。

在铁扇公主把真扇子交出后，孙悟空可以借口有事，以牛魔王的形态离开芭蕉洞。如此，铁扇公主的颜面也可以稍稍保存。可是，孙悟空选择了最恶劣的处理办法。

他当场现出本相，并且说："罗刹女！你看看我可是你亲老公！就把我缠了这许多丑勾当！不羞，不羞！"孙悟空此话，无异于在铁扇公主心头插上一把尖刀，让她羞愧难当，让她鲜血淋漓。

后来，牛魔王赶到芭蕉洞，铁扇公主只是说孙悟空变成老牛模样，骗走了扇子，并没有细说。她身为女子，受到这种侮辱，根本说不出口。

原文说："（铁扇公主）扯住牛王，磕头撞脑。"

铁扇公主本是个端庄贤惠的女人，此刻却风度全无，呼天抢地。牛魔王立刻明白，妻子必定是受了奇耻大辱。牛魔王口中虽然没有细问，但心中已经把孙悟空当成死敌。

所谓"兄弟妻，不可欺"，孙悟空的言行已经触犯了古人交友、处事的底线。为了给妻子报仇，更为了夺回男人的尊严，牛魔王发誓要与孙悟空不死不休。他擅自改变了太上老君的安排，不听火焰山土地的警告，最终落得个被武力镇压的可悲下场。

造成这个大悲剧的人，就是孙悟空。

第五十节　逼死牛王

孙悟空和牛魔王在五百年前曾经义结金兰。取经路上，孙悟空多次在公开场合表态，牛魔王与他是结拜兄弟，感情深厚。可是，在三调芭蕉扇故事中，孙悟空接连做出许多激怒牛魔王的举动，甚至最终将牛魔王逼上死路。

孙悟空究竟做了哪些事？为何他要逼死牛魔王？

听火焰山百姓的介绍，孙悟空前往翠云山寻访铁扇公主。在山中，孙悟空见到一个神奇的樵夫——《西游记》中几乎每一个出场的樵夫，都堪称神人。

得知铁扇公主是牛魔王的妻子后，孙悟空大惊失色，慨叹此行恐怕难以成功。樵夫见孙悟空沉默，询问原因。孙悟空也没有隐瞒，把自己与铁扇公主一家的纠葛说了一番。

樵夫一听，哈哈大笑说："大丈夫鉴貌辨色，只以求扇为名，莫认往时之溲话，管情借得。"

樵夫告诉孙悟空，身为大丈夫做事情要学会察言观色，细节往往决定成败。既然与铁扇公主一家有许多矛盾，孙悟空此去，就应当只提借扇，千万别提过去发生的那些糟心事。若能如此，必定能借扇成功。

樵夫的话大有道理。反正牛魔王已经两年不在芭蕉洞。反正铁扇公主又不认识孙悟空。

孙悟空完全可以变化成一个火焰山百姓，献上一些牛羊祭品，走正常程序向铁扇公主求借宝扇。既然以往数百年铁扇公主都会借扇，那么这次也没有理由拒绝。

孙悟空听后，深以为然。原文说：“行者闻言，深深唱个大喏道：‘谢樵哥教诲，我去也。’遂别了樵夫，径至芭蕉洞口。”

孙悟空嘴上答应得极好，可到了芭蕉洞前竟大唱反调。孙悟空开口便喊“牛大哥”，见到女童，又直接介绍说“我是东土来的孙悟空和尚”，完全把樵夫的交代抛在脑后。

听闻“孙悟空”三字，铁扇公主“便似撮盐入火，火上浇油。骨都都红生脸上，恶狠狠怒发心头”。双方见面没说几句就开打了。本来可以和平解决的借扇事件，硬是被孙悟空搞成一团糟。

孙悟空为何不按照樵夫交代行事？只因孙悟空就是要惹恼牛魔王，激怒铁扇公主。

在一调芭蕉扇被骗之后，孙悟空去积雷山摩云洞找牛魔王。在山中，孙悟空遇到一位绝色美女——牛魔王小妾玉面狐狸。玉面狐狸询问孙悟空是谁，来摩云洞又要找谁。孙悟空躬身行礼：“我是翠云山芭蕉洞铁扇公主央来请牛魔王的。”

孙悟空为何要欺骗玉面狐狸呢？

此时，若孙悟空直言相告，说自己是牛魔王义兄孙悟空，想求借芭蕉扇，玉面狐狸会生气吗？她不但不会生气，反倒会很开心。反正红孩儿又不是她儿子。红孩儿越倒霉，铁扇公主越难过，玉面狐狸越开心。若孙悟空能好言相求，保不齐玉面狐狸还会在牛魔王面前帮助孙悟空说情呢！

可是，孙悟空偏偏要说自己是铁扇公主派来找牛魔王的。

严格来说，玉面狐狸不是小妾。她自家有百万家财，麾下有数百小妖，积雷山方圆数百里都是她的地盘。并且，牛魔王是招赘进入她家的。作为玉面狐狸，最痛恨的人就是铁扇公主，最不想听到的事情就是铁扇公主叫牛魔王回家。原文中玉面狐狸心中说：

“这贱婢，着实无知！牛王自到我家，未及二载，也不知送了他多少珠翠金银，绫罗缎匹。年供柴，月供米，自自在在受用，还不识羞，又来请他怎的！”

俗话说：“嫁汉嫁汉，穿衣吃饭。”牛魔王娶了玉面公主后，不但没有拿出钱来养家，反倒从玉面狐狸家中搬去许多金银。玉面狐狸不但要养牛魔王，还要帮着牛魔王养芭蕉洞中的铁扇公主一大家子。

双方谈话的结果不难猜，玉面狐狸大怒，要赶走孙悟空，孙悟空则挥舞金箍棒，作势要打玉面狐狸。然后，玉面狐狸在牛魔王面前好一番哭诉。

于是，五百年后牛魔王第一次再见孙悟空时，两兄弟差点开打。不过，因为种种原因，牛魔王压下了心中怒火，放过了孙悟空。可是，他万万没有想到，孙悟空竟然一而再、再而三地挑战他的底线。最终，孙悟空变成牛魔王模样调戏铁扇公主一事，彻底让牛魔王暴走。

孙悟空为何要激怒牛魔王？只因孙悟空对牛魔王十分仇恨。

孙悟空为何会恨牛魔王呢？所谓“爱之深，恨之切”，一切的恨，都源自爱。

五六百年来，孙悟空一直非常在意与牛魔王的兄弟情义。

大闹天宫之前，孙悟空走遍三山五岳，寻访各路妖魔。人间七大魔王在花果山聚义。七兄弟中，孙悟空与老大牛魔王关系最好。若非如此，在孙悟空自称齐天大圣时，也不会是牛魔王第一个站出来支持他。

孙悟空是一个很重情义的人，他以己度人，想当然地希望自己的付出也会得到兄弟们相应的回报。可是，在十万天兵围剿花果山、孙悟空最危急的时候，不但其他兄弟没有来帮忙，连老大牛魔王也没有出现。这让孙悟空有些失望。

后来，孙悟空被压五行山下整整五百年。五百年中，天地之间没有一个兄弟故友前去探望，孙悟空深刻领会了什么叫作世态炎凉，什么叫作人情冷暖。

在号山时，得知红孩儿是牛魔王的儿子，孙悟空大喜，认定红孩儿会恭恭敬敬地把师父交出。沙僧再三提醒说人心会变，不要希望过高，但孙悟空依然全不在意。

最终，红孩儿一把三昧真火，烧醒了孙悟空。原来，在牛魔王心中，自己这个兄弟一文不值。牛魔王根本没有把和孙悟空结拜兄弟的事情告诉家人。换言之，牛魔王心中从没有把孙悟空当成真正的兄弟。

既然牛魔王不仁，那孙悟空当然可以不义。重情重义的反面，往往就是睚眦必报。孙悟空选择了一种极端的方式报复牛魔王。

那么，如何才能把牛魔王逼上死路呢？

把牛魔王推到取经的对立面。

西天路上的妖魔非常多，可是有几个妖魔尤其大魔王是被镇压的？几乎没有。

论势力，谁有牛魔王的势力大？论背景，谁有牛魔王的背景深？

有人把牛魔王当成草根妖怪，但草根妖怪能够拥有多个山头，势力遍及多个国家，达万里之遥吗？

最初，孙悟空不知道牛魔王的后台是谁——在见到火焰山土地之后，孙悟空会猜到一些；与牛魔王交手，见到与自己一般无二的地煞七十二变后，孙悟空才真正明白。不过，孙悟空没有退却。

孙悟空明白，西行路上，只要是妨碍到取经行动，就算你势力再大、背景再深，也难逃法网，就算不死，也要脱层皮。

因为取经行动乃是三界之主玉帝亲自批准，西牛贺洲之主如来亲自主抓的官方行动。与取经行动做对，得罪的不仅是孙悟空、唐僧，甚至不仅是观音、如来，真正得罪的是万仙之主玉帝。

谁阻挠取经行动，就是公开挑战玉帝至高无上的威权。就算是三界第一高手、道祖太上老君也不敢如此。

于是，孙悟空一再激怒牛魔王。渐渐地，个人的情绪主导了牛魔王，牛魔王放弃了太上老君交代的任务，无视火焰山土地的警告。最终，牛魔王被玉帝、如来联手镇压。

取经一路走来，孙悟空在迅速成长。昔日的天真已经完全不存在，昔日的好勇斗狠也渐渐消失。以孙悟空的成长速度，必然有一天会摆脱棋子的身份，真正主宰自己的命运。

第五十一节　铁扇公主

《西游记》原著和1986年央视版电视剧《西游记》打造了两个截然不同，甚至可以说是完全相反的世界。1986年央视版电视剧《西游记》是一个童话世界，那里善有善报，恶有恶报，妖魔鬼怪终究都被收服。《西游记》原著却是一个成人世界，在这个世界中，充斥着权谋，到处是斗争，虽然不乏善良与柔情，但更多是残酷与无奈。

在原著这个残酷的成人世界里，牛魔王与他的妻子铁扇公主却给我们呈现了一曲浪漫而凄凉的爱情恋歌。

或许有读者会疑问，牛魔王爱铁扇公主？扯淡，要是爱她，为何两年不回家，为何跑到外面找小三？

牛魔王究竟是一个抛弃糟糠之妻的陈世美，还是一个顾妻念家的好男人？且让我结合原著，细细道来。

铁扇公主是一个怎样的人，抑或怎样的妖、怎样的仙？

原著中第一次提到铁扇公主的是火焰山下一个卖糕的汉子，他说："若知糕粉米，敬求铁扇仙。"此处，卖糕汉子称铁扇公主为仙。留唐僧住宿的房东老汉也称铁扇公主为仙人，并且很恭敬地称其为"圣贤"。

火焰山百姓每十年会往翠云山拜求一次铁扇公主，每次要送多少礼物呢？“四猪四羊，花红表里，异香时果，鸡鹅美酒。”这些东西多吗？一点也不多。在古代，稍稍大些的家族在举行祭祀的时候，都要用猪、牛、羊。按照我们现在的价格，这四猪四羊，一万元到顶，其他的新鲜水果、土鸡美酒什么的，顶多五千元。也就是说，铁扇公主来回走三千里，十年出一趟差，只不过收入一万五千元。

这点收入，对于一个神通广大的仙人（妖王）来说，根本就是九牛一毛，不值一提。正因为铁扇公主收取的出差费很少，火焰山百姓才会尊称铁扇公主为铁扇仙。

不过，此处并没有说明铁扇公主的真正来历。毕竟火焰山民众距离铁扇公主比较遥远，对许多事情并不了解。

当孙悟空来到翠云山芭蕉洞畔，遇上了一位樵夫。这樵夫给孙悟空爆了不少猛料。

据这樵夫说，当地百姓没听过什么铁扇仙，只知道有个铁扇公主，并且大家还知道铁扇公主的另一个名字，叫作罗刹女。

孙悟空问，铁扇公主为何有多个名字，樵夫说了一句饱含哲理的话：“这圣贤有这件宝贝，善能熄火，保护那方人家，故此称为铁扇仙。我这里人家用不着他，只知他叫作罗刹女。”原来，并非今人很市侩，古时候老百姓就已经如此现实。有用的时候奉为上宾，无用的时候弃之如敝屣（破鞋）。

从樵夫的话我们可以知道，铁扇公主并非她最初的名字，她真正的名字叫罗刹女。

什么是“罗刹”呢？佛派称恶鬼为“罗刹”。罗刹女这个名字正透露出铁扇公主实际是鬼魂修炼成人身，从鬼仙进阶到了神仙。

在铁扇公主与孙悟空第一次打斗时，原著说：“裙钗本是修成怪，为子怀仇恨泼猴。”在孙悟空扇灭火焰山大火后，铁扇公主恳请把扇子还她时说：“我等也修成人道，只是未归正果。”

这两处点明铁扇公主乃精怪（非人）修炼成仙（成人道）。从她儿子红孩儿都已经三百多岁，大闹天宫已经过去了五六百年，可看出她已经超越了鬼仙寿命，到了神仙甚至是地仙程度。

我估计铁扇公主本是某国的公主，死后不甘堕入轮回，恰巧得到鬼修功法，修成了鬼仙，号称罗刹女。孙悟空大闹天宫后，罗刹女得大力牛魔王帮助，从鬼仙进阶为神仙（或地仙），两人结为夫妇。因罗刹女武功平平，在西方乱世无法立足，牛魔王将两把护身芭蕉扇相赠。当火焰山百姓来拜求时，罗刹女心怀仁善，仗义出手。火焰山百姓因其拥有芭蕉宝扇，即尊其为铁扇仙。而翠云山附近百姓则高兴时称其为铁扇公主，不高兴时称其为罗刹女。

在很多人印象中，牛魔王迷恋小妾玉面狐狸，而把发妻铁扇公主抛弃一边。这个观点最初源自火焰山土地：“大力王乃罗刹女丈夫。他这向撇了罗刹，现在积雷山摩云洞。那牛王弃了罗刹，久不回顾。”

牛魔王真是喜新厌旧的陈世美吗？

书中交代：“有个万岁狐王，那狐王死了，遗下一个女儿，叫作玉面公主。那公主有百万家私，无人掌管，二年前，访着牛魔王神通广大，情愿倒陪家私，招赘为夫。”

这玉面狐狸到底有多少家产呢？书中有交代，她父亲原是个有万年修行的狐狸精，称霸积雷山，积攒了“百万家私”——《西游记》中的仙妖和人类一样，都喜欢金子银子。这万年狐王，就有上百万两白银。这可是一笔巨大财富。要知道明朝国库一年的收入，也不过七八百万两银子呢！

并且，不是人家牛魔王主动找上玉面狐狸，而是玉面狐狸在父亲死后，怕别人夺她家财，表态倒贴钱财，招赘牛魔王为夫。

也就是说，牛魔王娶玉面狐狸的根本目的，就是为了挣钱。

牛魔王经常交朋结友，应酬太多，家里又有丫鬟仆从一大堆。还有一个不争气的儿子红孩儿，整天闯祸胡来。牛魔王必须多挣钱，挣够钱才能养家啊！

那牛魔王娶了玉面狐狸后，是不是就沉湎温柔乡，忘记了挣钱这档子事呢？没有。

孙悟空前往积雷山，自称是翠云山铁扇公主派来，恰巧遇上了玉面狐狸。原著说：“那女子一听铁扇公主请牛魔王之言，心中大怒，彻耳根子通红，泼口骂道：‘这贱婢，着实无知！牛王自到我家，未及二载，也不知送了他多少珠翠金银，绫罗缎匹。年供柴，月供米，自自在在受用，还不识羞，又来请他怎的！’”

原来，在牛魔王心中，一直都把翠云山芭蕉洞那个家看成自己真正的家。不到两年间，牛魔王把玉面狐狸的许多金银珠宝、绫罗绸缎转移到了翠云山。甚至芭蕉洞每月供应的柴火米面，都是由玉面狐狸家支出的。

孙悟空听了，非常不屑，嘲笑说：“你这泼贱，将家私买住牛王，诚然是陪钱嫁汉！你倒不羞，却敢骂谁！”

事实上，做小三混成玉面狐狸这样，也挺悲催的。别人家都是男人拿钱贴小三，她家是小三拿钱贴原配。

后来，牛魔王回洞府，玉面狐狸责怪铁扇公主无耻。牛魔王在小妾面前如何评价原配呢？

他说：“那芭蕉洞虽是僻静，却清幽自在。我山妻自幼修持，也是个得道的女仙。”看看，在牛魔王心中，铁扇公主的地位是多么高贵！

俗话说：“夫妻本是同林鸟，大难临头各自飞。”一旦大祸来临，猪八戒第一个吵嚷着散伙，连孙悟空都有意志不坚定的时候。但在死亡面前，牛魔王与铁扇公主的表现如何呢？

见到孙悟空与猪八戒双战牛魔王，牛魔王精疲力竭，只能勉强支撑，铁扇公主忧心忡忡。当牛魔王把芭蕉扇交给妻子保管时，铁扇公主泪如雨下说：“大王！把这扇子送与那猢狲，教他退兵去罢。”最开始时，铁扇公主一心希望牛魔王夺回扇子，扁孙悟空一顿，以洗刷被调戏的耻辱。可如今看到情况不妙，丈夫有性命之忧，铁扇公主立刻把自己的一点委屈抛到脑后，只是挂念牛魔王别受伤。

谁料想情形变化太快。牛魔王精神抖擞出战，忽然就从天上来了佛派四大金刚把守四方，又来了托塔李天王和哪吒率领天兵擒拿他。在一番打斗下，牛魔王的神通完全被克制，只能屈膝投降。原文说：

“回至芭蕉洞口，老牛叫道：‘夫人，将扇子出来，救我性命！’

罗刹听叫，急卸了钗环，脱了色服，挽青丝如道姑，穿缟素似比丘，双手捧那柄丈二长短的芭蕉扇子，走出门，又见有金刚众圣与天王父子，慌忙跪在地下，磕头礼拜道：'望菩萨饶我夫妻之命，愿将此扇奉承孙叔叔成功去也！'"

听说要交出芭蕉扇才能救丈夫性命，铁扇公主急忙交出。关键时刻为何她还要换了衣服呢？以往乃是一身高贵的公主打扮（至少也是奶奶级别的贵妇打扮），如今是阶下囚了，自然要卸掉金银首饰，脱掉绫罗绸缎，只是穿一身修仙者的打扮。

这铁扇公主也颇有胆色，在孙悟空用好扇子后求孙悟空归还扇子。猪八戒大怒说："泼贱人，不知高低！饶了你的性命就彀了，还要讨甚么扇子，我们拿过山去，不会卖钱买点心吃？费了这许多精神力气，又肯与你！雨蒙蒙的，还不回去哩！"这老猪，知道自己不能独吞芭蕉扇，就主张把扇子卖了换钱买点心吃。只是不知道哪路神仙敢买？

孙悟空最终还是把扇子还给了铁扇公主，说："老孙若不与你，恐人说我言而无信。你将扇子回山，再休生事。看你得了人身，饶你去罢！"表面上看来，孙悟空是顾念铁扇公主修成了人身，才把扇子归还。其实不然。真正让孙悟空不敢留下扇子的原因，是他知道扇子的正宗主人乃是太上老君。

在平顶山时，孙悟空就曾经想瞒下太上老君的几件法宝。可是，太上老君的神通何等厉害，孙悟空根本留它不住。既然铁扇公主开口索要，那就必须物归原主。

那么，铁扇公主的结局如何呢？原著说她“隐姓修行，后来也得了正果，经藏中万古流名”。这铁扇公主最终也混到佛派去了，成了一名高层仙人。

不过，在大战四大金刚、哪吒等众仙佛时，牛魔王为何不把两把芭蕉扇拿出来用呢？若那纯阴扇子一扇，哪吒、金刚百分百全部飞走；纯阳宝扇一扇，哪吒、金刚百分百逃走。他有两把扇子在手，除了孙悟空可以岿然不动，别人都不是对手。就算你有十万天兵，一扇子全部扇飞。若是那样，多霸气！

可是，牛魔王明明知道大战在即，却把宝扇交给铁扇公主。而武艺远不如孙悟空的哪吒，竟然接连砍下牛魔王十多个头。神通广大的牛魔王面对哪吒时为何变得那么怂呢？

其中必定有隐秘。

第五十二节　归顺灵山

在被哪吒连续砍下十来个牛头后，牛魔王叫到：“莫伤我命！情愿归顺佛家也！”哪吒明明是代表天庭来降伏牛魔王，为何牛魔王不说归顺天庭，而说归顺佛派呢？

上文提到，牛魔王明知大战将至，却将芭蕉扇交给铁扇公主保管。难道他不知道，芭蕉扇一出，三界仙佛除了已经吃了定风丹的孙悟空，其他都会被吹飞八万四千里吗？

要解开这个谜，还要从如来对牛魔王的图谋说起。

前文已经提过，大闹天宫之初的佛派，力量其实并不大。

在西游世界里，佛派一共有多少仙人？四十六位佛，一两百位菩萨，五百罗汉，三千揭谛，总计仙人数量不超过四千。

佛派控制的地域有多大？所有佛派仙人都住在人间，除了观音菩萨、文殊菩萨、普贤菩萨等另有山头，多数菩萨、罗汉都集中住在灵山。也就是说，佛派的核心势力，局限于灵山。甚至灵山脚下的天竺国都出现了九曜麾下的玉兔精，四帝之一东极青华帝君麾下的九灵元圣。

如何才能迅速扩充佛派实力呢？

其一，扩充佛派地盘，让更多的百姓信奉佛派。有了群众基础，才可能孕育更多的佛派仙人。

其二，收编强大的妖魔。靠信奉佛派的人类修成仙人，耗时太长。一个速成方法，就是直接收编西天辖区内的强大妖魔。

只是，扩充地盘会侵害到西牛贺洲其他仙人的利益。如来只是名义上的西方之主，西牛贺洲其实道、佛并存，甚至是道盛佛衰。如何才能在不引起天庭大仙震怒的情况下，悄然扩张佛派势力呢？

如来苦苦等待，一直到孙悟空大闹天宫。玉帝为了打压太上老君势力，召见下界西方佛老如来上界降妖。玉帝此举，明显是抬高如来，以制衡太上老君。如来不甘心做玉帝棋子，趁机提出取经计划。取经计划名为传经，其实是以取经为名，扫清从东土到西天一路的非佛派势力。经过如来的精心布局与唐僧师徒的紧密配合，西方路上两个大国乌鸡国和车迟国都变成崇奉佛派的国家。

取经路上那些妖怪，本领低微的被直接灭杀，有天庭背景的被仙人召回，剩下的就是西方本土的强大妖魔，其代表就是牛魔王家族。他们正是如来一心想要收服的对象。

为了收服牛魔王，如来苦心经营了数百年。

牛魔王本身神通广大，加上拥有芭蕉扇，让如来不得不慎之又慎。而且如来也应该猜到了牛魔王与太上老君的隐秘关系。

怎样才能既收服牛魔王，又不激怒太上老君呢？自然是要师出有名。

在哪吒登场时，说了一番话：“愚父子昨日见佛如来，发檄奏闻玉帝，言唐僧路阻火焰山，孙大圣难伏牛魔王，玉帝传旨，特差我父王领众助力。”

仔细品味这番话，它其实为抓捕牛魔王给出两个理由。

其一，牛魔王阻碍取经行动，罪大恶极。

取经行动是玉帝批准的官方行动，阻碍取经大业，那就是不给玉帝面子。即便是太上老君，也不方便公开为牛魔王出头。

如来为何不派观音出面抓捕牛魔王？若观音出马，必定马到成功。即便是其他如文殊菩萨、普贤菩萨也可以啊。可如来只是派了四大金刚出面。四大金刚在佛派是什么地位呢？不过就是负责灵山安保的中层仙人罢了！并且，那四大金刚其实也没有出手，只是负责阻拦，不让牛魔王逃走。真正负责动手的，是哪吒和托塔天王李靖两个人。

为什么呢？

一方面，如来已经给李靖升级了照妖镜，哪吒和李靖联手应该可以降伏牛魔王；另一方面，哪吒和李靖是玉帝派出的，代表天庭。即便太上老君不满，也当恼怒玉帝，和他西方佛老如来没有关系。

其二，孙悟空降伏不了牛魔王，哪吒代表天庭出手。

哪吒那番话中强调，他们父子在昨天见到如来，如来告诉他们孙悟空赢不了牛魔王，于是玉帝派他们出马。可是，书中孙悟空明明白白地说："这厮骁勇！自昨日申时前后，与老孙战起，直到今夜，未定输赢，却得你两个来接力。如此苦斗半日一夜。"孙悟空第一次和牛魔王交手，是在前一天的下午五点，他们从黄昏打到天亮。天亮后休息了一会，继续开打。当天下午，哪吒和李靖赶到。

孙悟空大战牛魔王落败了吗？没有。

也就是说，如来根本就没寄希望孙悟空能降伏牛魔王。他极有可能在孙悟空大战牛魔王之前，就已经上书玉帝，邀请哪吒、李靖前往灵山，然后让他们与四大金刚一起出动。

如来为何不相信孙悟空？

其一，如来知道孙悟空的神通与牛魔王不相上下，可以敌得住，但是降伏不了。

其二，牛魔王有三界奇宝芭蕉扇，一旦用出，几乎无人可挡。

为了解决这个难题，如来盘算了很多年，最终，他炼制出芭蕉扇的克星——定风丹！

在黄风岭时，孙悟空大战黄风怪，之后找灵吉菩萨降妖。灵吉菩萨以飞龙宝杖成功抓捕黄风怪，留下定风丹没有使用。

书中交代，黄风怪本是灵山脚下得道成精的黄毛貂鼠——话说兽类在灵山特别容易修成大道，比如黄风怪、后来的琵琶洞蝎子精，还有无底洞的白毛老鼠精，都出自灵山。这些兽类修成大道之后就成为精怪。如来对于这些出自灵山的精怪是比较爱惜的。只要愿意归顺，一般都会给个机会。比如黄风怪，就是被灵吉菩萨两度捉拿，最终归顺佛派。无底洞的老鼠精也被抓回灵山，估计也可以修成正果。唯独蝎子精，因为扎伤了如来，只能死路一条。

如来为何让灵吉菩萨看守黄风怪呢？一个重要的任务就是需要黄风怪配合灵吉菩萨做实验。黄风怪号称风魔，对风系法术悟性奇高。估计正是在他的配合下，定风丹的效果才越来越好。

孙悟空一调芭蕉扇时，被吹走八万四千里，而服了定风丹之后，芭蕉扇再也吹他不动。但是，如来很快发现了弊端——定风丹炼制不易，不能批量生产，芭蕉扇却是大规模杀伤性武器。

也就是说，靠定风丹制服不了牛魔王。因此，如来第一次在孙悟空没有求助的情况下，主动派人前来相助。

如来已经是精打细算，可在太上老君面前，还是棋差一招。

如来只是看到牛魔王现出本相，不能变化后，被照妖镜牢牢锁定了元神，哪吒一连十多剑，杀得牛魔王不得不低头，却没有想到这一切都是太上老君的秘密安排。

哪里证明这一切都是太上老君的安排？

牛魔王为何落到被砍头如切瓜的结局？不就是因为他没有用出芭蕉扇吗？若他有芭蕉扇在手，别说哪吒，就是如来到场，估计也会被扇飞。

牛魔王莫非傻了？明明已经开战，还不把防身法宝带上？

这只因在头一天晚上（即孙悟空与牛魔王大战的那一夜），火焰山土地对牛魔王说了一番话："大力王，且住手，唐三藏西天取经，无神不保，无天不佑，三界通知，十方拥护。快将芭蕉扇来扇息火焰，教他无灾无障，早过山去；不然，上天责你罪愆，定遭诛也。"

这番话有何用意？

其一，取经行动是无天不佑，十方拥护，太上老君不会为你出头。

其二，你阻碍取经，已经犯下大罪，天庭与佛派很快就会派人来抓你啦！

按照常理，牛魔王应该立刻交出扇子，助唐僧通过火焰山。可是，牛魔王说："那泼猴夺我子，欺我妾，骗我妻，番番无道，我恨不得囫囵吞他下肚，化作大便喂狗，怎么肯将宝贝借他！"

牛魔王真的这么恨孙悟空吗？根本不是。

我们回想下当初，牛魔王和孙悟空见面时双方虽然交手，可是并没有真怒。一见碧波潭万圣龙王邀请，牛魔王就不打了，去吃饭了。这才是牛魔王面对夺子骗妻的孙悟空的真实态度。

眼看孙悟空、猪八戒打上门来，牛魔王还把扇子交给铁扇公主。其目的只有一个，就是造成不能使用芭蕉扇的局面。

原因也简单：若牛魔王轻易就投降，如来怎会相信？他唯有拼命反抗，最终力尽降伏，才算演得逼真。

牛魔王投降有两个出路：第一是投降玉帝，第二是投降如来。

按照常理，投降玉帝前途更好，牛魔王却选择了人间的佛派。这只因太上老君给他的秘密任务，是与孙悟空、猪八戒一样，打入佛派，最终助太上老君夺回佛派控制权。

天庭仙人动辄以十万、百万计，牛魔王即便归降，也很难出头。可是，在人才尚缺的佛派就大不相同了。牛魔王虽然是受招安入门，但与孙悟空的打斗已经证明了其实力。归顺佛派后，罗汉的待遇还是少不了的。

第五十三节　祭赛国冤案

唐僧师徒走过火焰山，来到了祭赛国。

祭赛国楼台壮丽，物阜民丰，衣冠隆盛，人物豪华，不愧是西牛贺洲数一数二的大国都城。可就在一片繁华当中，唐僧师徒看到十来个和尚戴着枷锁，衣衫褴褛，沿街乞讨。唐僧不禁产生兔死狐悲之感，让孙悟空上前询问原因。

据和尚说，这祭赛国中有一个金光寺，寺里有一个宝塔，宝塔上白天可见祥云瑞霭，晚上更是放出万道霞光，千万里外也可以看见。四周国家都认为这祭赛国是天府神京，都来朝拜。三年前，京城下了一场血雨，之后，宝塔就失去了光彩，邻国也不来朝拜了。国王大怒，追究此事。经过审查，国王认定是金光寺和尚监守自盗，偷走了宝塔中的宝物，导致宝塔失去神光。为此，国王将金光寺的和尚全部看管起来，轮番进行刑讯拷打。和尚中的三分之二被折磨致死。

唐僧师徒听了，不胜唏嘘。

了解西游故事的读者都知道，金光寺宝塔失去神光的原因，是万圣龙王和驸马九头虫偷走了佛宝舍利子。之后孙悟空打死了万圣龙王，和二郎神一起打跑了九头虫，追回了舍利子，金光寺和尚也被释放。

表面上看来，这祭赛国金光寺冤案的前因后果非常清楚。其实不然。

在和尚看来，谁是导致他们受苦的罪魁祸首？

“昏君更不察理，那些赃官，将我僧众拿了去，千般拷打，万样追求。”在和尚心中，他们受苦全因为昏君无道，官员无能。

在国王看来，金光寺的和尚冤枉吗？

祭赛国王见到唐僧，非常欢喜，亲自接见说：“似你大唐王有疾，能选高僧，不避路途遥远，拜我佛取经；寡人这里和尚，专心只是做贼，败国倾君！”在他看来，金光寺的和尚就是贼，就是这伙人把国宝给偷走了。偷到哪里去了呢？肯定是卖给别的国家了。

事情的真相究竟是什么呢？

其一，和尚与国王都被祭赛国的官僚阶层给蒙骗了。

原文说：“只是三年之前，孟秋朔日，夜半子时，下了一场血雨。天明时，家家害怕，户户生悲。众公卿奏上国王，不知天公甚事见责。当时延请道士打醮，和尚看经，答天谢地。谁晓得我这寺里黄金宝塔污了，这两年外国不来朝贡。我王欲要征伐，众臣谏道：‘我寺里僧人偷了塔上宝贝，所以无祥云瑞霭，外国不朝。’”

大家注意看原文，三年前祭赛国下了一场血雨，可是追究金光寺和尚责任，是在三年后。

当时，上至国王，下到百姓，都不知道这血雨到底是吉是凶。国王为了保险，还特意请和尚、道士一起做法，感谢上天。

本来，这一切会安安静静过去。可是，最近两年来，周边国家不来朝贡，让祭赛国王大怒。邻国不来朝贡，首先是宰相班子无能，被罢免一批是少不了的；再次是兴兵征讨邻国，武将势力就会崛起。总之，无论怎样，原来高居上位的官僚集团利益都会受到侵害。

在这样的情况下，祭赛国的公卿大臣们冥思苦想，想到一个劝阻国王不发动战争、保全既得利益的方法，即将邻国不来朝贡的罪名安到金光寺和尚们的头上——必定是金光寺的和尚们监守自盗，偷了宝塔中宝贝，才使得宝塔无光，邻国不来朝贡。

宝塔能日夜放出霞光，算是祭赛国的一道奇特景象，但因此就引来几十年上百年邻国的朝拜，这不合情理。若纯粹因为宝塔神奇，此前许多年，邻国难道不会大发兵马把金光寺宝塔抢走？

为了证明自身的无辜，为了自己的利益，人们总是会在有意无意中陈述对自己有利的事实，而隐藏或者歪曲部分事实。

其二，牛魔王代表的太上老君派势力在推波助澜。

万圣龙王在祭赛国都城百十里外的碧波潭中也不知道住了多少年，一直安分守己。连二郎神初次听孙悟空说起抓捕万圣龙王时，都说万圣龙王不爱惹事。且金光寺建寺已经许多年，黄金宝塔也存在了许多年，万圣龙王为何偏偏在三年之前偷走宝塔中的舍利子呢？

一切只因为牛魔王。

牛魔王最爱交游，见多识广，必定是他有意无意把祭赛国金光寺中有佛宝的秘密告诉了万圣龙王。万圣龙王本人虽然胆小，但是刚招赘了一个神通广大、颇有自信的九头虫驸马。结果，两个人被牛魔王稍稍一忽悠，就跑去下了血雨，偷了佛宝舍利子。之后，必定又是牛魔王告诉万圣龙王，要想舍利子永放光芒，就必须到灵霄殿偷来千年灵芝草。

牛魔王背后的太上老君熟知各种法宝习性、草药药理，对灵霄殿地形图更是了如指掌。若非在天庭有内应，以万圣公主的小小神通（被猪八戒一钉钯打死），怎么可能偷来灵芝草？

调唆万圣龙王偷走佛宝舍利子，对太上老君有何好处？

金光寺乃祭赛国前代皇帝下诏修建的皇家禅林，在祭赛国地位尊崇。佛宝被偷，宝塔就会失去光辉，金光寺的和尚迟早要受到追究。金光寺被查抄，佛派就陷入低谷，而道派自然昌盛。

当然，道派的昌盛，对太上老君和玉帝都有利。于是，太上老君又交代牛魔王，调唆万圣龙王去偷灵霄殿前的灵芝草。万圣公主八成就是扮成宫女，拿着灵霄殿地形图，盗走了灵芝草。

如此一来，万圣龙王就站到了玉帝的对立面。为了防备玉帝追捕，他只能投靠玉帝的政敌太上老君了。

万圣龙王被杀了，可是，人间的仙人妖怪并不知道牛魔王与太上老君参与其中。大家眼中看到的，只有佛派的残忍（几乎将万圣龙王灭族）和玉帝的无情（玉帝外甥参与剿杀）。

其三，如来的佛派力量一直在等待时机，最终成为大赢家。

当金光寺的和尚被刑讯拷打的时候，佛派仙人完全有能力——他们早就知道偷走宝物的是万圣龙王——为金光寺和尚洗刷冤屈。可是，佛派没有出手。他们眼睁睁地看着一批又一批的金光寺和尚被拷打致死。

他们在等什么？在等待唐僧、孙悟空等人到来。

书中交代，当金光寺僧人看到孙悟空等人时，集体下跪。孙悟空询问原因，和尚们说："爷爷，我等有甚未卜先知之法，只是痛负了屈苦，无处分明，日逐家只是叫天叫地。想是惊动天神，昨日夜间，各人都得一梦，说有个东土大唐来的圣僧，救得我等性命，庶此冤苦可伸。"

虽然和尚们没说是什么天神，但想必就是佛派的那十八位护驾伽蓝。他们这些人做这种通风报信的事情也不是第一次了。

为何早先不出手，偏要等唐僧、孙悟空到了才出手？

因为在如来看来，做大事不拘小节，有点牺牲是正常的。如来的目的是把祭赛国也变成一个崇奉佛派的国家。从故事的描绘中可以看出，祭赛国中虽然有佛派，但是并不受重视。如来虽然有心有力，但他绝对不能公开派一个罗汉或者菩萨来到祭赛国，施展法力，然后宣布，你们必须信仰佛法。——那样的话，别说如来的反对派，就连玉帝都会很不高兴。

如来只能借助玉帝批准的取经团队来达到扩充佛派的目的。

当孙悟空、猪八戒提着小妖，腾云驾雾飞走时，祭赛国王和大臣们一个个朝天礼拜道："话不虚传！今日方知有此辈神仙活佛！"等到孙悟空亲手抓了一条神龙（万圣龙王的妻子）归来，祭赛国王更是惊骇得五体投地，对唐僧称老佛，对孙悟空、猪八戒、沙僧称菩萨，并且让宫廷画师把四人的样貌画下，供奉在皇宫中。金光寺也被孙悟空改为"伏龙寺"。佛派的惊天神通，已经将祭赛国王和官员百姓全部收服。

从此之后，祭赛国自然归入了佛派的力量范围。

第五十四节　万圣杀婿

《西游记》中，但凡妖王，必有出处。没有强大的仙界背景支持，任何精怪都不可能修习到妖王、魔王境界。有些妖魔看起来是草根，深究起来却背景通天，比如颇具道心的黑熊精、纵横西天的牛魔王。

祭赛国盗宝案看似简单，其实隐藏着许多秘密。要想弄清楚，首先必须明白万圣龙王的身份。万圣龙王身上谜团众多。

其一，区区一潭之水神，为何敢称"万圣龙王"？

其二，原文交代，这万圣龙王乃是三年前率众多家眷来到碧波潭。此前许多年万圣龙王在哪儿呢？

其三，万圣龙王交游广阔。在妖魔道，他能与牛魔王称兄道弟；在仙佛道，二郎神都开口为其说情。

一个偏远水潭的龙神，为何有此背景？只因为这万圣龙王乃是龙族当中大名鼎鼎的人物、当年轰动天下的泾河老龙王。

泾河龙王虽然没有统领一海，却是东土大唐帝都水神，地位超然。其家族势力庞大，上到天庭，下到灵山，人间五岳三川都有泾河龙王家族的身影。天下龙族中，敖氏兄弟自然是第一家，泾河龙王当是第二家。若非如此，泾河龙王也没有资格与敖家结亲。

泾河龙王辈分尊崇，势力强大，远远超过人间万千龙神，自号“万圣”，合情合理。

泾河龙王为何会来到祭赛国碧波潭呢？

因与观音合作，泾河龙王在人间蒸发，转换身份潜伏在乌鸡国御花园。他以井龙王的身份看守乌鸡国王尸体三年，为取经行动做出了贡献。三年功满，国王还魂，泾河龙王也获得了重见天日的机会。

因为泾河龙王是被宣判死亡的人，故此，虽然获得新身份，但实在不宜招摇。观音便安排泾河龙王来到西牛贺洲祭赛国一个偏僻的小水潭居住。

这个水潭叫作碧波潭。有个成语大家都知道，叫作“泾渭分明”。泾水清澈，渭水浑浊。这水潭号称碧波，表面是说水很清澈，暗中即指泾水。

泾水的源头乃是大名鼎鼎的老龙潭。原著中在称呼万圣龙王时，经常称之为“万圣老龙”，或者“老龙”，这也是一种暗示。

关键一点，原著中提到万圣龙王是在三年前来到碧波潭，在七月一日与女婿九头虫到祭赛国盗取舍利子。

结合原著唐僧师徒经过比丘国的时间可以发现，井龙王与万圣龙王的行踪完全可以无缝衔接。

三年前的春天，唐僧师徒经过平顶山，走了数月，来到乌鸡国。解救乌鸡国王之后，唐僧师徒随即上路，又走了数月走出乌鸡国，到达号山遭遇红孩儿时已经是深秋时节。也就是说，唐僧师徒在乌鸡国的这段时间，大致为三年前的夏天。

换言之，井龙王完成保护尸体任务，离开乌鸡国前往新居所，大致也是在三年前的夏天。

确定了万圣龙王的真实身份，第三个疑问也就很好解答了。

万圣龙王虽然偏居一隅，可是在人间、仙界势力庞大。连作为地主的牛魔王也要主动结交万圣龙王，与其称兄道弟。更何况，泾河龙王因投靠观音，家族势力得以腾飞，与太上老君的弟子牛魔王也算是盟友。

至于二郎神，他号称“显圣二郎真君”，居住于灌口——他其实就是灌口地区水神。虽然二郎神实力强大，但在水神圈子中，泾河龙王（万圣龙王）还是二郎神的前辈。更何况，老龙王和二郎神一样，都是观音一脉的人马。因此，当孙悟空进攻碧波潭抓捕万圣龙王时，二郎神才会讶然说：“万圣老龙却不生事，怎么敢偷塔宝？”二郎神本有心维护万圣龙王，谁料想孙悟空手快，早一棒子把万圣龙王打死了。

不过，二郎神的话也道出了一个疑问：若泾河龙王就是万圣龙王，他为何还要去偷金光寺的舍利子呢？

这里牵涉万圣龙王与九头虫之间的重大隐秘。

在孙悟空与牛魔王初次大战时，有使者来邀请牛魔王吃饭。之后，孙悟空就追随牛魔王来到了碧波潭。

孙悟空变成一个螃蟹精进入水潭。在碧波潭龙宫处，孙悟空第一次见到了万圣龙王。作者借孙悟空之眼，道出了三个奇怪现象。

怪象之一：老龙派头极大。

原文说："朱宫贝阙，与世不殊。黄金为屋瓦，白玉作门枢。屏开玳瑁甲，槛砌珊瑚珠。非是天宫并海藏，果然此处赛蓬壶。高堂设宴罗宾主，大小官员冠冕珠。"

这碧波潭在表面上看来只是一处小水潭，可是底下别有洞天。碧波潭龙宫气派非凡，装饰奢华，远赛寻常龙宫，就算是蓬莱仙境比此处也有不如。前来朝拜的官员无一凡品，个个带着冕珠——在古代，只有诸侯才有资格带冕珠。很明显，来朝拜的都是碧波潭附近大川大河的水神。

这万圣龙王名义上只是碧波潭之主，其实很可能控制着祭赛国乃至周边数国千万里河川，是万千水神中的王者。

孙悟空不知道万圣龙王的真实身份，故此觉得奇怪。如果明白万圣龙王就是泾河龙王，看此情景就丝毫不觉得奇怪了。

怪象之二：陪酒的人不寻常。

原文说："那上面坐的是牛魔王，左右有三四个蛟精，前面坐着一个老龙精，两边乃龙子龙孙龙婆龙女。"

此次宴请的乃是牛魔王，按照常理，牛魔王身份贵重，万圣龙王应当把家族中有身份、有地位的都请出来陪酒。结果，我们可以看到万圣龙王的妻子、儿女，连心腹蛟精都出场，偏偏神通广大的女婿九头虫没有出场。

这是为什么呢？

要知道早在三年前万圣龙王就把女儿嫁给了九头虫，两人还一起到祭赛国下血雨，一起盗宝。在众人看来，翁婿之间早就是一条绳上的蚂蚱，再也分不开了。

原因只有一个，就是万圣龙王和牛魔王商量的事情，必须背着女婿九头虫。

怪象之三：牛魔王的嘱托。

牛魔王与万圣龙王喝酒结束时，发现碧水金睛兽被偷。牛魔王立刻猜到是孙悟空盗走坐骑。临别时，牛魔王特意交代万圣龙王："列公若在西天路上，有不是处，切要躲避他些儿。"

这伙龙精、蛟精都听闻孙悟空的威名，个个心惊胆战。不过，若他们依照牛魔王的提醒，主动避让取经队伍，不在孙悟空走的那条道路上出现，也不会有什么祸事发生。

可是，奇怪的事情发生了。

碧波潭本来在祭赛国都城的东南方向，根本不在取经团队西去的路上。万圣龙王与九头虫虽然盗取了金光寺的舍利子，但金光寺的和尚以及祭赛国的官员全不知情。祭赛国人都认为和尚监守自盗，取了佛宝。

也就是说，只要万圣龙王与九头虫好好在家待着，不去招灾惹事，孙悟空根本就不会找上门来。

万圣龙王却派出两个鱼精奔波儿灞、灞波儿奔前往祭赛国金光寺寻塔。

这两个鱼精名为寻塔，却只是在金光寺宝塔中喝酒取乐，一点也没有侦察兵应该有的警醒。两个笨蛋鱼精一下子就被孙悟空抓住了。孙悟空还没有用刑审问，两个鱼精就把前因后果和盘托出。于是，孙悟空便被引到了碧波潭。

万圣龙王为何做出这些反常举动呢?

因为他要借刀杀人，除掉女婿九头虫。

原著中对九头虫的来历没有介绍，但以他的神通必定也是大有来历之辈。此怪极有可能早先就在碧波潭修炼，是碧波潭之主。

三年前，万圣龙王率领龙族来到此处。虽然他有着观音给予的官方文书，但九头虫神通广大，万圣龙王无法用武力征服，只能选择和亲的方式，把女儿下嫁九头虫，彼此和平共处。

但是，卧榻之侧岂容他人鼾睡。九头虫名义上虽然称万圣龙王为岳父，但其实并不听从万圣龙王招呼。在九头虫看来，自己神通广大，就算没有岳父的家族势力，也可以称霸一方。

初见孙悟空时，万圣龙王做出一副魂不附体的模样，九头虫却哈哈大笑，很从容地说:“太岳放心，愚婿自幼学了些武艺，四海之内，也曾会过几个豪杰，怕他做甚！等我出去与他交战三合，管取那厮缩首归降，不敢仰视。”可是，九头虫越是豪迈，在万圣龙王看来越是嚣张，越是必除之而后快。

万圣龙王是如何施行借刀杀人之计的呢?

第一步，与九头虫一起去祭赛国盗宝。

万圣龙王乃是观音一脉，本不应当为难人间佛派势力。不过，为了除掉女婿，彻底掌控碧波潭，万圣龙王也不得不做出一些牺牲。

万圣龙王派出的鱼精如此叙述盗宝事件：“（万圣龙王）招赘一个九头驸马，神通无敌。他知你塔上珍奇，与龙王合盘做贼，先下血雨一场，后把舍利偷讫。见如今照耀龙宫，纵黑夜明如白日。”

在鱼精口中，谁是盗宝的始作俑者？不是万圣龙王，而是九头虫。是九头虫知道佛宝舍利子所在，然后伙同万圣龙王共同偷窃。偷窃的目的则是因为碧波潭龙宫乃是深水区，晦暗不明，而得到舍利子后，龙宫就能亮如白昼。

在这场盗宝事件中，九头虫是首犯，万圣龙王是从犯。并且，鱼精对孙悟空、对国王的这两次叙述都强调九头虫神通无敌。言下之意，万圣龙王乃是被九头虫武力胁迫，不得不做出坏事。

第二步，借孙悟空之手，除掉九头虫。

九头虫一贯骄傲自负，孙悟空前来后必然主动出战，万圣龙王就可以借孙悟空之手，除掉九头虫。

第三步，亮明身份，献出佛宝。

在九头虫被杀之后，万圣龙王将主动献出佛宝。万圣龙王不认识孙悟空，但认识猪八戒，还认识观音。只要他亮明身份，孙悟空也不会为难他。

如此一来，万圣龙王即便犯下偷盗佛宝的错误，也可以被从轻发落，甚至无罪开释，而九头虫则被孙悟空打死，碧波潭从此彻底归属万圣龙王。

可是，人算不如天算，命运总是难以捉摸。

万圣龙王没料到九头虫竟然强大如斯，以一人之力迎战孙悟空、猪八戒，并且战平孙悟空，擒拿猪八戒。

万圣龙王也没料到，孙悟空救出猪八戒后，猪八戒狂性大发，一路砍杀，逼得自己只能往河面上逃。

万圣龙王更没料到，孙悟空就等在河面，一看到有人露头，二话不说一棒子打下，万圣龙王一命呜呼。

万圣龙王的一盘好算计就此付诸东流。

万圣龙王和二郎神早就相识，并且，盗取佛宝舍利子一事估计二郎神早就知道。二郎神在孙悟空降妖的过程中匆匆赶到，八成就是为了营救万圣龙王。

可是，二郎神也没料到孙悟空下手那么快，才是第一天交手，万圣龙王就被打死了。反倒是要犯九头虫，连胜数场，还最终逃逸。

第五十五节　盗宝案背后

祭赛国故事主要由金光寺宝塔中存放的宝贝引起。因为这宝贝，周边国家主动来贺，祭赛国俨然成为天朝上国；因为这宝贝，引出了西游最神秘的妖魔九头虫；因为这宝贝，一贯“不生事”的万圣龙王也怦然心动，最终全家几乎丧命。

这宝塔中存放的究竟是何宝贝，竟然有如此大的魔力？这件神奇的宝贝又为何落到人间一个普通寺庙中呢？且听一一分解。

唐僧师徒来到祭赛国，见到许多和尚披枷戴锁，沿街乞讨。孙悟空心中不忍，上前询问原因。不想这一问，问出一桩怪事来。

当地和尚告诉唐僧师徒，本国叫作祭赛国，乃是西天路上头号大国。多年来诸如高昌国、西梁女国等周边国家年年向祭赛国进贡，从不敢怠慢。

唐僧说："既拜为上邦，想是你这国王有道，文武贤良。"众和尚说："爷爷，文也不贤，武也不良，国君也不是有道。"

既然一个国家文武百官皆庸碌，国王更非有道明君，那祭赛国凭什么成为四方来贺的天朝上国呢？

和尚说了一番让唐僧目瞪口呆的话："我这金光寺，自来宝塔上祥云笼罩，瑞霭高升，夜放霞光，万里有人曾见；昼喷彩气，四国无不同瞻。故此以为天府神京，四夷朝贡。"

原来，周边国家之所以畏惧祭赛国，不用出兵征伐就主动前来朝贡，竟然是因为金光寺宝塔能放射霞光，显出与众不同的一番景象。

金光寺宝塔为何能放射霞光呢？在孙悟空到来之前，祭赛国上到国王，下到和尚，没有一个人知道，更不要说周边各国了。

周边各国既然什么都不知道，为何放低姿态，前来朝拜祭赛国呢？

其实，正是因为不知道，所以各国才会来朝拜。

什么事情最让人恐惧？不是火山，不是海啸，不是雷霆，不是干旱……而是未知。一切的恐惧，源头都在于未知。

正因为谁都不清楚祭赛国金光寺宝塔为何会在晚上放射霞光，为何在万里外都可以看见，所以周边国家个个畏惧。这霞光就仿佛是祭赛国拥有的一项绝密武器，让祭赛国神秘莫测，拥有让周边国家难以预估的力量。如果这塔中宝贝乃是一件仙家法宝，攻击力超强，那得罪祭赛国不就是找死吗？

当宝塔不再放光，祭赛国王大怒。对于他来说，塔宝丢失，不仅京城晚上光照不足，更是丢失了震慑周边国家的秘密武器。果然，在塔宝丢失的三年，周边各国再不来进贡。

祭赛国王组织专案组进行调查，可是查来查去毫无塔宝踪迹。最终，金光寺的和尚被判为监守自盗，沦为这场冤案的牺牲品。

后来，孙悟空陪同师父扫塔，抓住了奔波儿灞、灞波儿奔两个鱼精，从他们的口中，才得知了金光寺宝塔的秘密。

原来，宝塔之所以能放出霞光，是因为其中存放有一颗佛家舍利。

什么是舍利？

历史上早期的佛典中，舍利或佛舍利多指佛祖释迦牟尼坐化后所留之物，后来多指佛门高僧尸骨在火化后产生的珠状结晶体。

那金光寺宝塔中的舍利，是不是如来所留呢？当然不是。

《西游记》中提到这舍利时特别强调是佛派舍利，或者说是塔宝、佛宝，并没有说是佛祖舍利。并且在《西游记》中，如来是在本次大天劫人类刚出现时就已经修成金身、成就正果的仙界大能。就如《西游记》中的太上老君不是历史上的老子一样，这《西游记》中的如来，也不是历史上的乔达摩·悉达多。

虽然这舍利不是如来留下的，却拥有一项异能，让强大如九头虫也不禁怦然心动。这舍利子能“夜放霞光，万里有人曾见”。

原来，万圣龙王到达碧波潭后，大兴土木，修建龙宫。新婚宴尔的万圣公主对于龙宫的奢华舒适程度很满意，可是，对于龙宫的亮化工程极度不满。毕竟碧波潭仅仅是偏僻所在的区区小潭，根本不能与泾河相比。

当牛魔王告知祭赛国金光寺宝塔中有一宝贝，可以解决龙宫照明问题，万圣公主大喜。为了满足妻子的欲求，九头虫主动提出要去金光寺盗取佛宝。万圣龙王一番盘算，觉得可以借机生事，借刀杀人，于是也陪同九头虫前往。

为了让舍利的光照持久，万圣公主又上大罗天灵霄殿盗取九叶灵芝草。最终，“见如今照耀龙宫，纵黑夜明如白日”。碧波潭的亮化工程大功告成。

可是，一时的贪婪让万圣公主一家付出了惨重的代价，除了老龙婆苟且偷生外，其他龙子龙孙全部被孙悟空、猪八戒扫荡一空。偌大一个龙族，竟然彻底灭绝。

最后，这舍利与九叶灵芝草都被孙悟空供奉在宝塔中。祭赛国上至国君，下至臣民，无不慨叹佛法无边、唐僧师徒神通广大。

在这时，几乎没有人去思考：这神秘的舍利为何会在祭赛国金光寺这个凡人国度的普通寺庙中出现呢？

以这枚舍利能光照万里、瑞彩千条来看，其蕴含的灵力十分充沛，至少也是佛级高人所留。这种异宝，根本不是金光寺本寺和尚能够孕化的。

那么，真相就只有一个——这舍利乃是佛派所留，更明确地说，是如来或观音刻意留下的。留下的目的只有一个，就是促使祭赛国成为信仰佛派的国度。

祭赛国长期以来虽然佛道并存，但是道兴佛衰。为了提高佛派在祭赛国的地位，观音作为取经行动的具体掌控人，极有可能像在大唐长安一样，在许久以前化为老僧前来金光寺挂单，然后留下了这枚珍贵的舍利，存放在宝塔之中。之后，观音离开。

因为宝塔夜放霞光，显出异象，金光寺以及祭赛国佛派的地位大大提高。但是，仅仅如此还不能让祭赛国全民信仰佛派。

为了保证目的达成，一方面，观音故意把消息放给盟友太上老君，太上老君则交代弟子牛魔王把舍利的奇效泄露给万圣龙王、万圣公主。于是，一场盗宝案悄然发生。另一方面，观音吩咐三十九位护法神，时刻注意金光寺与取经团队的动向。金光寺的不少和尚遭遇毒打，被折磨至死，诸位神仙无一出手解救。一直等到取经团队将至，诸位护法神才齐齐托梦众僧，告诉他们找孙悟空来解救灾难。

三年来冤死的金光寺和尚也算“死得其所”。盗宝事件只有在取经团队到来后得到解决，才可以最大限度地发挥盗宝案的威力，才可以让祭赛国上下震动，全体拜服佛派。

第五十六节　最神秘妖王

西游世界中，混到妖王级别的，几乎都有出处。可是，有一个人是例外，即碧波潭的九头虫驸马。

原著中是如何描写九头虫的呢?

“毛羽铺锦，团身结絮。方圆有丈二规模，长短似鼋鼍样致。两只脚尖利如钩，九个头攒环一处。展开翅极善飞扬，纵大鹏无他力气；发起声远振天涯，比仙鹤还能高唳。眼多闪灼幌金光，气傲不同凡鸟类。”

首先，我们要明确，西游世界的“虫”概念非常宽泛，相当于我们现在所说的动物。原著中如来说：“周天之内有五仙，乃天地神人鬼；有五虫，乃蠃鳞毛羽昆。”蠃虫，是指没有毛发的动物，如青蛙、蚯蚓；鳞虫，是指有鳞甲的，诸如鱼类、蜥蜴、蛇，等等；毛虫，有毛的，多指兽类；羽虫，就是禽类；昆虫，也叫作介虫，多是指有甲的动物，比如各类昆虫，还有螃蟹、蚌壳，等等。

这种“五虫”的概念，是中国古人对动物界朴素的划分方法，和我们的现代概念有很大不同。

按照这个概念，结合原著诗句描述，这九头虫当是羽虫类，乃是一种全身有羽毛，体长三米多，头脸身材犹如鼋鼍（龙的一种），拥有双翅的一种奇禽。称呼九头虫为九头鸟更加合适。

这九头虫有什么特点呢？

其一，长相可怕，攻防一体。原著说："猪八戒看见心惊道：'哥啊！我自为人，也不曾见这等个恶物！是甚血气生此禽兽也？'行者道：'真个罕有，真个罕有！等我赶上打去！'"

猪八戒从人间修仙，然后到天庭出任天蓬元帅，再后来被贬凡间，那也修行了千年以上，算得上见多识广。可是，猪八戒从来没有见过哪个妖怪如九头虫一般长相凶恶，他一看到九头虫的本体就心惊胆战。孙悟空够胆大吧，也不禁心旌动摇，承认九头虫确实可怕。

拥有九个头，除了让敌人有所畏惧外，在战斗中也颇有实效。作战时，九头虫能够眼观八方、耳听八面，天上地下前后左右无一不能观察到。想要偷袭他，几乎不可能。猪八戒曾想偷袭，被九头虫半腰里伸出一个头来，张开口如血盆相似，把猪八戒一口咬着鬃，半拖半扯，捉下碧波潭水内而去。

其二，飞行速度快，力气极大。

看诗句说，九头虫擅长飞行，即便大鹏雕也没有九头虫的力气。

其三，气质高贵，不同凡鸟。

书中虽然没有明言九头虫的出处，却说九头虫眼中金光流彩，与凡俗世界的普通鸟类不同。

九头虫的神通究竟如何呢？

原著中，九头虫先和孙悟空单挑，两人大战三十来个回合，不分胜败。猪八戒在一旁观战，趁机绕到九头虫背后，用力就是一钉钯。本来，八戒的偷袭功夫了得，经常一钉钯打死一个二流妖王。可是那九头虫有九个头，攻防一体，立刻发现了偷袭，挡住了钉钯。

不过，九头虫以人身作战，力气不支。在混战了五七个回合后，九头虫现出了本体作战。本体作战有什么优势呢？

我们结合前文对九头虫特点的介绍就可以明白，以本体作战，九头虫将拥有更大的力气、更快的速度、更敏捷的反应。

果然，在以一敌二的情况下，九头虫一口咬了猪八戒，成功击败孙悟空、猪八戒组合，大胜而归。

那么，九头虫是不是靠着侥幸取得了胜利呢？我们看原文："却说孙行者见妖精擒了八戒，心中惧道：'这厮恁般利害！我待回朝见师，恐那国王笑我。待要开言骂战，曾奈我又单身，况水面之事不惯。'"

从孙悟空的心里话可知，孙悟空与人身的九头虫相比，武艺略高一筹。可一旦九头虫化成本体，孙悟空反倒落于下风——从"曾奈我又单身"可知，孙悟空觉得，要有帮手才能打赢变身后的九头虫。

原来，九头虫竟然是如此强大的存在。

后来，孙悟空救出了猪八戒，又邀请到二郎神与梅山六圣参战。

梅山六圣的功夫如何呢？我认为可比猪八戒。

一来，梅山六圣与二郎神以兄弟相称，武艺不至于差太多。二来，原著中梅山六圣对猪八戒直呼其名"猪刚鬣"，明摆着并没有多看重猪八戒，反倒是二郎神对猪八戒一口一个（天蓬）“元帅”，很是客气。

九大高手（孙悟空、猪八戒、二郎神、梅山六圣）+隐匿身形、随时准备偷袭的细犬，这种阵容西游世界哪个妖王能扛得住？

猪八戒下水把九头虫引到岸上，孙悟空与二郎神等九人一拥而上。九头虫见势不妙，立刻变身。孙悟空与梅山六圣冲上前近战，二郎神拿出金弓银弹在远处射击。二郎神几弹弓下去，九头虫闪转腾挪，竟然毫发未伤。

不但如此，九头虫一拍翅膀，立刻脱离包围圈，冲到了二郎神身边，竟然想要突袭二郎神。在九头虫看来，他飞行迅捷异常，可以随时跳入跳出包围圈，早已经稳稳掌握了战局，因此他才会突袭二郎神，想把远处放冷箭的家伙先干掉。

可是，九头虫防备了孙悟空、猪八戒、梅山六圣，偏偏没有防到二郎神的细犬（《西游记》中，二郎神的狗不叫哮天犬，叫细犬）。这细犬估计是有极好的隐匿神通，经常躲在暗处。眼看九头虫逼近二郎神，细犬一下子蹿出，一口咬下九头虫一个头。

九头虫吃痛，再不恋战，立刻飞跃逃离。猪八戒正要去追赶，孙悟空止住他说：“且莫赶他，正是穷寇勿追，他被细犬咬了头，必定是多死少生。”

孙悟空为何如此说？

一来，穷寇勿追。一旦不给对方活路，对方很可能狗急跳墙，拼死一搏。取经走到如今，孙悟空已经明白，完成上级任务即可，千万别到处惹事。

二来，人家九头虫飞得确实很快。即便猪八戒要去追赶，也追不上了。

三来，也是最重要的，九头虫已经如此厉害，背后是否有着更强大的存在？若是撞见其背后的势力，搞不好再生出许多纠纷。

事实上，九头虫根本没有死。《西游记》原著中也说“至今有个九头虫滴血，是遗种也”。既然有后代，也就意味着九头虫不但没死，还娶妻生子了。

最后一个问题，这神通广大的九头虫究竟什么来历？

在《山海经》的《大荒北经》中有这样一段记载：“大荒之中，有山名曰北极柜。海水北注焉。有神九首，人面鸟身，句曰九凤。”

欧阳修写过一首《鬼车诗》：“昔时周公居东周，厌闻此鸟憎若仇。夜呼庭氏率其属，弯弧俾逐出九州。自从狗啮一首落，断头至今清血流。迩来相距三千秋，昼藏夜出如鸺鹠。每逢阴黑天外过，乍见火光辄惊堕。有时余血下点污，所遭之家家必破。”

结合两处典故，我们可以知道，吴承恩《西游记》中的九头虫其实就是上古神话中的九凤。九凤本居住在陕西（西方）一带，因为叫声很怪异，周文王很讨厌它。周文王就让部下半夜里拿着刀枪弹弓将九凤驱逐出境。在与人类的搏斗中，九凤的一个头被猎狗咬伤，伤口一直滴血，最终逃亡北方。

第五十七节　九头虫来历

坊间有一种观点说，九头虫其实就是七大圣中的老二覆海大圣蛟魔王。事情真的如此吗？

且看原著对九头虫本相的描述：“毛羽铺锦，团身结絮。方圆有丈二规模，长短似鼋鼍样致。两只脚尖利如钩，九个头攒环一处。展开翅极善飞扬，纵大鹏无他力气；发起声远振天涯，比仙鹤还能高唳。眼多闪灼幌金光，气傲不同凡鸟类。”

古人对于“虫”的定义和今人不同，鸟类也可以叫作虫。九头虫准确的说法是九头神鸟。而原著中明确点出覆海大圣乃是蛟魔王。蛟与鸟连族群都不同，又怎么可能是同一人？

这九头虫为何会在取经路上忽然出现，最后又顺利逃脱呢？作为一位神通广大，能一人独斗孙悟空、猪八戒、二郎神、梅山六圣共九位高人的强大妖魔，九头虫绝不会是毫无来历之辈。

我认为，九头虫当是现任真武大帝、北方北极玄灵麾下爱将。

从九头虫身上，我们可以找到以下三个理由。

其一，九头虫不认识、没听说过孙悟空，应当不是天界仙人。

见到自己岳父害怕孙悟空，九头虫很是不解，于是开口询问孙悟空来历：“你家居何处？身出何方！怎生得到祭赛国，与那国王守塔，却大胆获我头目，又敢行凶，上吾宝山索战？”

在《西游记》中，但凡知道孙悟空曾经大闹天宫的，几乎都是来自天庭、拥有仙箓的妖怪。比如金角大王、银角大王、奎木狼、青牛精、狮魔王，等等。

对于孙悟空来说，大闹天宫是他一生中最重要、最辉煌的经历。可是对于整个三十三重天来说，孙悟空大闹天宫不过是一个微不足道的插曲。而孙悟空也不过是在通明殿前制造了一点点骚乱，前后不过几个时辰，然后就被压到五行山下去了。

听闻询问，孙悟空好一番吹嘘，没想到九头虫毫无反应，让孙悟空很是郁闷。

由此推知，九头虫八成不是来自天界，而是生长在人间的强大妖魔。

其二，九头虫对佛派有敌意，意图阻挠取经行动。

九头虫和金角大王、银角大王、青狮精、白鹿精、赛太岁等妖魔最大的不同在何处？

关键就在为祸人间、制造灾难是否出自本心，是否支持取经行动。金角大王、银角大王、青狮精等下界作乱，都是在出公差。他们看似在折磨唐僧、残害百姓，其实是在为取经行动服务。因此，在孙悟空降伏妖魔时，他们的上级都会及时出现，既保全妖怪下属性命，也向佛派示好、邀功。

九头虫则不然，他盗取佛宝是为了自己。到最后关头，也没有任何大仙出场来营救九头虫。

更何况，九头虫夫妻在盗取佛宝的同时，还潜入灵霄殿，盗取了王母娘娘的九叶灵芝草。这可是公然与玉皇大帝做对的行为。

由此可以看出，九头虫的后台与如来、玉帝绝非一路。

其三，九头虫战败后逃亡北海。

在《西游记》中，九头虫是一个来历不明的妖怪。九头虫早就住在碧波潭，不过，以碧波潭的环境，若没有高人指点，九头虫根本不可能修成偌大神通。因此，九头虫极有可能是在神通学成后，方才暂居碧波潭的。

至于他居住在碧波潭的目的，我们下文再说。

那九头虫受伤后为何逃向北海呢？

前文已经分析过，万圣龙王其实就是泾河龙王，泾河龙王乃是四海龙王的妹夫。九头虫因此也算是北海龙王的外甥女婿。不过，在得罪了孙悟空的情况下，北海龙王还敢庇护九头虫吗？当然不敢。

九头虫前往北海不过是遮人耳目。最终，他会离开北海，前往自己真正的巢穴——北方真武大帝所在。

关于现任真武大帝，《西游记》中只有一个侧面出场。在过平顶山时，孙悟空需要装天，哪吒提出可以借真武大帝的皂角旗一用，以遮蔽天地。

不过，我们可以从前任真武大帝、九天荡魔祖师的话语中，知道现任真武大帝的派系、立场。

猪八戒曾说："就是你老子有虔心，请下九天荡魔祖师下界，我也曾与他做过相识，他也不敢怎的我。"

九天荡魔祖师的前身就是北极四圣之佑圣真君，曾为天蓬元帅猪八戒的副手。虽然在转世重修后佑圣真君法力大进，成功进阶天尊，但猪八戒算是他的老上级，他确实要卖猪八戒几分面子。

不过，天蓬、天佑、佑圣、翊圣虽并称四圣，但彼此的立场、派系并不相同。比如，天蓬属于太上老君人马，佑圣则属于玉帝、元始天尊心腹。

九天荡魔祖师曾经向孙悟空介绍自己下界几百年的经历："我当年威镇北方，统摄真武之位，剪伐天下妖邪，乃奉玉帝敕旨。后又披发跣足，踏腾蛇神龟，领五雷神将、巨虬狮子、猛兽毒龙，收降东北方黑气妖氛，乃奉元始天尊符召。"

我们把九天荡魔祖师摆资格论功劳的内容先放一边，可以发现这九天荡魔祖师的两次升迁都与元始天尊、玉帝有关。

三清之中，太上老君是一派，元始天尊、灵宝天尊共同为一派，联手抗衡太上老君。元始天尊、灵宝天尊又推出玉帝作为他们的代言人，继续扩大力量。

玉帝成为天庭之主，代表法统。他正式任命转世的佑圣真君为人间五方五老之一，北俱芦洲之主。元始天尊为三清之首，代表道统。他以师门长辈的身份，调派佑圣真君为真武大帝前去东北方降妖。

但是，让人奇怪的是，这转世的佑圣真君，出任真武大帝没有多少年，就被迫卸任了。就算佑圣真君在孙悟空大闹天宫后立刻下界，并且没几年就仙道大成，出任真武大帝，满打满算，也不到五百年。

人间的五百年，在天界不过是一年半时间。短短一年半，为何真武大帝就离职了呢？

唯一的解释是，他成为派系斗争的牺牲品。

在孙悟空大闹天宫后，玉帝花费了足足一年（人间三百六十年）的时间去掌控罪证，在最近一次（一百四十年前）蟠桃会上，玉帝出手，将太上老君派干将、掌控天庭水军的天蓬元帅驱逐下界。

同时，太上老君“被迫”公开表态，认可人间佛派的取经行动，并答应在取经行动进行时给予一系列照顾。于是，在《西游记》中出现了大量道派妖怪被降伏，人间国度改换信仰的现象。

只是，若事情如此简单，那太上老君凭啥在天庭屹立万千年不倒？太上老君的势力绝不可小视。在失去一部分的同时，他必然会得到另一部分。以此，天庭才能达到新一轮的平衡。

于是，在太上老君的安排下，佑圣真君转世的真武大帝受到种种攻击，并最终不得不宣布离职。为了安抚他，玉帝给了他一个九天荡魔祖师的虚职，让他“静享武当山，安逸太和殿”。

若非斗争失败，这真武大帝年纪轻轻，不到五百岁，怎么可能就在武当山赋闲养老？

自然，上位的现任真武大帝必然是太上老君派系铁杆成员。

作为太上老君派系的重要成员，现任真武大帝知道太上老君的立场，因此，他就想出了一招妙棋，派出麾下大将九头虫前往西天路上潜伏，找寻机会斗一斗孙悟空，破坏取经行动。

只是，这种行为不能泄露身份。毕竟太上老君在公开场合都是支持取经行动的。于是，九头虫只能成为一个黑户，从未知中来，到未知中去。

不过，相信以九头虫的神通，在未来的仙界大战中必然还会有出色表现。

第五十八节　显圣大哥

在祭赛国碧波潭擒拿九头虫的故事中，有一个细节让人费解。

在孙悟空与猪八戒联手打死了万圣龙王，基本奠定胜局时，二郎神率领梅山六圣经过。遇到这位昔日仇敌，孙悟空不但没有表现出一丁点儿仇恨，反倒主动放下身段，派猪八戒前去邀请，与二郎神共同对付九头虫。当晚，孙悟空与二郎神把酒言欢，兄弟相称，情意浓浓。第二天天亮，在二郎神的帮助下，九头虫负伤逃跑。然后，孙悟空与二郎神依依惜别。

对于孙悟空来说，二郎神是他平生头号仇敌，正是此人在他大闹天宫时亲手将他擒拿。也正是此人，在擒拿了孙悟空后，放火烧山，把花果山四万七千猴子几乎烧得死绝了。

那么，孙悟空为何会向二郎神主动示好，并且倾心结交呢?

二郎神的出场，似乎是个偶然。原文说："两人正自商量，只听得狂风滚滚，惨雾阴阴，忽从东方径往南去。行者仔细观看，乃二郎显圣，领梅山六兄弟，架着鹰犬，挑着狐兔，抬着獐鹿，一个个腰挎弯弓，手持利刃，纵风雾踊跃而来。"

在后文中，孙悟空询问二郎神为何前来，二郎神回答说，仅仅是外出打猎，经过此处。我们都知道，二郎神的堂口在灌州的灌江口，即四川灌县。也就是说，二郎神居住在南赡部洲。

唐僧一行人从南赡部洲（东土大唐）出发，历经多年，走到祭赛国，已经走完了三分之二的路程，早已经深入西牛贺洲地界。那二郎神怎么可能远离堂口七八万里来打猎？若他们真的抓捕到了什么神通广大的妖魔，那还算了，可原句中梅山六圣不过是挑着一些寻常狐兔。

如此种种，无一不证明二郎神在撒谎。他的出现，绝非偶然。既然不是偶然，那二郎神此次前来，是奉了谁的命令？又是来干吗的呢？

二郎神当时是奉了观音的命令，特意前来帮助孙悟空的。

此前，我们曾经提到，二郎神和玉帝的关系并不和睦。原著中诗句云：“斧劈桃山曾救母，弹打鋋罗双凤凰。心高不认天家眷，性傲归神住灌江。”

玉帝的妹妹与凡人杨书生成婚，生下了二郎神。玉帝大怒，将妹妹压在桃山下。二郎神长大后学成神通，劈山救母。此后他曾降伏八怪，又与梅山六圣结拜兄弟，形成一股不可小觑的势力。

二郎神对玉帝从无好感。玉帝也很讨厌这个外甥，只是迫于舆论压力，才做出一副宽容姿态。于是，玉帝让二郎神住在人间的灌江口，说得好听叫“听调不听宣”——即平常不用上朝，有急事才听从圣旨安排，其实就是流放在人间，眼不见心不烦。

本来，二郎神是不可能有机会在天庭露脸的，是观音出面推荐才让他有了机会。二郎神降伏孙悟空，可谓有安天大功，可是玉帝给了二郎神什么赏赐呢？“赏赐金花百朵，御酒百瓶，还丹百粒，异宝明珠，锦绣等件。”这与给如来安排安天大会，由王母亲自为如来进献蟠桃相比，玉帝对二郎神的赏赐实在太差。

既然二郎神在玉帝处没有前途，那么，投靠佛派，在观音麾下效力就成了二郎神最好的选择。

孙悟空三打白骨精回到花果山后，在当年的天兵剿杀中侥幸活命的猴子向他诉苦时，曾称呼二郎神为“二郎菩萨”。作者在这里是否是在暗示二郎神在佛派得到了菩萨果位呢？

孙悟空说：“八戒，那是我七圣兄弟，倒好留请他们，与我助战。若得成功，倒是一场大机会也。”猪八戒说：“既是兄弟，极该留请。”孙悟空道：“但内有显圣大哥，我曾受他降伏，不好见他。你去拦住云头，叫道：‘真君，且略住住。齐天大圣在此进拜。’他若听见是我，断然住了。待他安下，我却好见。”

经历了种种波折的孙悟空，思考问题越来越全面，遇事也越来越冷静。既然二郎神的出现必有目的，那么不妨瞧瞧。孙悟空也学会了端架子，他派出猪八戒前去试探，这样即便被拒绝，也不至于当场丢脸。

猪八戒对孙悟空与二郎神的关系，那是门儿清。听闻孙悟空说与梅山七圣是兄弟，他也说：“既是兄弟，极该留情。”当时猪八戒心中百分百是在冷笑，只是不说破，看猴子怎么耍而已。

不出孙悟空所料，二郎神果然立刻停下，并且也学孙悟空，自己不出面，让梅山六圣前去邀请孙悟空前来相聚。

两个仇人相见，本当分外眼红，可是两人说出的话语，无一不是甜如蜜。

二郎神说："大圣，你去脱大难，受戒沙门，刻日功完，高登莲座，可贺，可贺！"

二郎神这句话含义很丰富。

当年，二郎神为何去剿灭孙悟空？不就是因为孙悟空自己竖起反旗，号称齐天大圣，之后又大闹蟠桃会吗？总之，是孙悟空想要凭借一刀一枪，在天界打出一个名副其实的地位。

孙悟空虽然喜欢自称齐天大圣，其实仙界的高人们都明白，他那齐天大圣是虚的，是名不副实的。可是，孙悟空在加入取经团队后，尤其是在真假美猴王事件后，高登莲台，成就正果，那已经指日可待。

在西游世界，菩萨、罗汉都可以坐莲台。但是，如来的原话叫作"功成归极乐，汝亦坐莲台"。这句话可以从多角度理解。最好的可能便是说，孙悟空会和唐僧一样，都是达成佛位。

面对孙悟空未来的成就，二郎神难免羡慕嫉妒恨。

孙悟空却说："不敢，向蒙莫大之恩，未展斯须之报。虽然脱难西行，未知功行何如。今因路遇祭赛国，搭救僧灾，在此擒妖索宝。偶见兄长车驾，大胆请留一助，未审兄长自何而来，肯见爱否。"

孙悟空的话，有三个意思。其一，当初您对我的恩情，我时刻不忘。其二，未来是成佛还是成菩萨，还不清楚。其三，帮我一个忙，共同抓捕九头虫吧！

孙悟空的第一层意思，是我们分析的重点。二郎神对孙悟空有什么“大恩”呢?

第一项“大恩”，擒拿孙悟空。

二郎神和孙悟空实力相当，其实是谁也降伏不了谁的。即便细犬迅捷，能咬到牛魔王，却咬不到孙悟空。

大闹天宫时是孙悟空一人大战二郎神+梅山六圣+细犬不分胜败。然后，太上老君扔下金刚琢，打中了孙悟空的天灵盖。孙悟空被打得跌了一跤，爬起来要跑时，被细犬一口咬到了小腿肚，于是又跌了一跤。此时，二郎神与梅山六圣一拥而上，将孙悟空绑起来，用神刀穿了琵琶骨。

可是，不管孙悟空承认不承认，三界仙人都说是二郎神打败并擒拿了孙悟空。

第二项“大恩”，火烧花果山。

孙悟空被唐僧赶走回到花果山时，侥幸活下来的猴子说：“自从爷爷去后，这山被二郎菩萨点上火，烧杀了大半。我们蹲在井里，钻在涧内，藏于铁板桥下，得了性命。及至火灭烟消，出来时，又没花果养赡，难以存活，别处又去了一半。我们这一半，捱苦的住在山中。这两年，又被些打猎的抢了一半去也。”

二郎神非常狠辣，采取的是灭绝性捕杀。他首先放了一把神火，将大半猴子也就是两万多只猴子当场烧死。当时，一部分猴子侥幸躲起来才得以活命。可是，因为神火烧山，花果山此后五百年都寸草不生。没有了瓜果供养，一万多只猴子逃离了花果山——九成是死。剩下一万来只猴子又被打猎的弄死了好多。

孙悟空统计猴妖，一共才剩下一千两百多只。孙悟空大闹天宫时，麾下有四万七千只猴妖，如今只剩下一千来只。也就是说，因为二郎神，花果山百分之九十七的猴子猴孙都死了。

面对这两项“大恩”，孙悟空真的心存感激吗？

原著第二十八回有诗句描写孙悟空的内心：“回顾仙山两泪垂，对山凄惨更伤悲。当时只道山无损，今日方知地有亏。可恨二郎将我灭，堪嗔小圣把人欺。行凶掘你先灵墓，无干破尔祖坟基。满天霞雾皆消荡，遍地风云尽散稀。”

二郎神放火烧山，在孙悟空心中，就等于挖了他祖坟一般。从此可见，孙悟空对二郎神可谓仇深似海。

既然不是有恩，而是有仇，孙悟空为何还笑嘻嘻地与人称兄道弟呢？只能说，孙悟空成熟了，知道喜怒不形于色了，知道做大事不计小节了。

二郎神回答孙悟空提问，说：“我因闲暇无事，同众兄弟采猎而回，幸蒙大圣不弃留会，足感故旧之情。若命挟力降妖，敢不如命！”

二郎神越是说自己闲暇无事，越证明他是有事而来。有什么事呢？二郎神就是奉观音之命，前来相助孙悟空。

自从真假美猴王事件后，孙悟空再也没有去南海找过观音——一直到取经结束，都没有找过。作为取经团队的直接负责人，观音一直很关注孙悟空。二郎神既然投入了佛派，观音就希望找个机会让孙悟空与二郎神消除误会，亲近亲近。

既然孙悟空不来求，观音就派二郎神主动去。

孙悟空自然是明白二郎神与观音的关系的，就如同他也是观音举荐，参加取经团队一样。二郎神和孙悟空在某种意义上说，既是佛派的人，更是观音的人。

既然如此，孙悟空就得放下思想包袱，放下过去的仇恨，为了取经大业，与二郎神团结协作。

果然，聪明人之间说话就是轻松，大家一点就透。当天晚上，九个人一起推杯换盏，好不快活。在一起降伏了九头虫后，梅山六圣说："孙二哥既已功成，我们就此告别。"书中虽未明言，但从梅山六圣称呼二郎神为大哥，称呼孙悟空为二哥看，这两位昔日的仇敌，竟然已经义结金兰，结成了兄弟。

孙悟空为何要这么做呢？当然不仅仅是因为观音的安排。

自从加入取经团队以来，一路上孙悟空遭遇了许多强大妖魔，受了许多苦，忍了许多气。越是西行，一个血淋淋的事实就越是清晰——昔日无能的天庭神将，一个个都是背景深厚、神通广大。孙悟空越来越认识到，个人力量的渺小，越来越认识到，自己也好，天庭神将也好，都在受着一些无形之手的操控。

如何才能够在纷乱中保全性命，并且摆脱棋子的命运呢？

首先，必须忍，忍常人所不能忍。

其次，仅仅是忍还不够，还必须广结人脉。须趁着取经这块招牌，多结交一些三界仙人。大家可以看到，越是到后来，孙悟空越是动辄搬救兵。只因取经是玉帝批准、如来推进的一项官方行动，谁参与谁就有功。孙悟空邀请其他仙人帮忙，不是孙悟空无能，而是孙悟空卖了其他仙人一个大大的人情，分给了他们一些功劳。

孙悟空能与二郎神称兄道弟足以说明，孙悟空再也不是以往那个单纯冲动的孙悟空了。人总是要成长的，孙悟空也是如此。

第五十九节　放走九头虫

不少人对大闹天宫时期的孙悟空特别钟情，觉得那时的孙悟空傲视三界，霸气十足。我则相反，对取经时代的孙悟空特别欣赏。

在我看来，大闹天宫时期的孙悟空为人青涩，处事莽撞，完全就是一个愣头青，自以为有三两下功夫就狂妄得不行。结果，在高手出场后，碰得鼻青脸肿。所谓大闹天宫，在知情人看来就是一场笑话。

取经时代则不然。经过了五百年的拘押，孙悟空身上的草莽气息已经淡了许多。遇到问题时，孙悟空少了一份冲动，多了一份思考。

在一次又一次行动中，孙悟空迅速成长，更加成熟。尤其是他在为人处世方面，越来越有大家风范。

在祭赛国剿灭万圣龙王时，孙悟空主动邀请二郎神参战，又阻止猪八戒追杀九头虫。在屠尽万圣龙族时，他又单单留下了万圣龙王的妻子。孙悟空这些举动，有何深意呢？

先说孙悟空邀请二郎神参战。

孙悟空在降伏九头虫的行动中遇到了二郎神。在他的主动邀请下，二郎神参战，共同完成了降妖行动。是九头虫神通广大，孙悟空单靠自己的力量斗不过吗？不是。

二郎神从何而来？二郎神自称狩猎。可是，人间虽大，没几块是无主的地。在没有天庭官方允许下，二郎神带领兵马来到其他神仙的地盘，是犯了大忌。

上文我们已分析过，二郎神其实是奉了观音的法旨而来。观音乃五方五老之一，辖区正是南赡部洲，二郎神的神庙是在南赡部洲的灌江口，观音指挥二郎神名正言顺。二郎神又蒙观音举荐，对观音非常感激。论公、论私，两人的关系都非同一般。

孙悟空虽然猜不透二郎神此来的真实意图，但是结合以往经验——只要孙悟空降妖，最后几乎必定有高层仙人出现，而高层仙人前来的目的多是救回妖魔——孙悟空完全可以怀疑二郎神此行的动机。莫非二郎神与万圣龙王或九头虫有关？

于是，孙悟空主动攀谈，提出与二郎神共同降妖。孙悟空告诉二郎神，自己此来是因为万圣龙王与女婿九头虫盗取佛宝，犯下大罪。二郎神惊讶道："万圣老龙却不生事，怎么敢偷塔宝。"他对万圣龙王的关怀溢于言表。

孙悟空立刻就明白，这二郎神竟然是为万圣龙王而来。孙悟空不动声色，把自己已经打死万圣龙王的事情相告。二郎神也非常了得，虽知道此行目的失败，但依然一脸平静。毕竟，万圣龙王的事情见不得光。

二郎神告诉孙悟空："既伤了老龙，正好与他攻击，使那厮不能措手，却不连窝巢都灭绝了？"在此处，二郎神暗示孙悟空，要把万圣龙族全部剿灭。孙悟空一口答应。

二郎神不是为救万圣龙王而来吗？为何在万圣龙王死后，对万圣龙王家族却要下黑手呢？

只因观音欠的是万圣龙王（泾河龙王）的情。既然万圣龙王已死，那其家族也没有存在的必要了，而全部将其剿灭正可以将此事画个句号。

降妖伏魔本就是孙悟空的本职工作，他对于小妖也都是心狠手辣，一个不留。但是在关键时刻，孙悟空不但放走了九头虫，连万圣龙王的妻子也不杀。这是为什么呢？

先说放走九头虫。

二郎神处事很老辣，他的神通不在孙悟空之下。可是，在联手斗九头虫时，他并没有冲在前面。战斗时，依然是孙悟空、猪八戒在正面作战，二郎神只是在后方远远地用金弓银弹进行偷袭。

并非九头虫真的强大，也并非二郎神为人猥琐，实在是二郎神知道自己的身份。取经路上，降妖伏魔乃是孙悟空的事情，二郎神明白他此番参战只是助攻，千万不可抢了孙悟空的风头。

这场交战几乎眨眼间就结束了。九头虫刚露头，就被孙悟空、猪八戒缠住，再加上二郎神远攻，九头虫瞬间处于下风，细犬更趁机咬掉九头虫一颗头颅。

九头虫受了重伤，向北逃遁。以孙悟空的筋斗云速度，有很大机会可以追上九头虫。可是，孙悟空没有去追。就连猪八戒要赶去追时，也被孙悟空阻止了。

孙悟空说："且莫赶他，正是穷寇勿追，他被细犬咬了头，必定是多死少生。”

孙悟空话语中貌似堂皇地提出了两个理由：其一，怕追击九头虫落入陷阱。其二，不追，九头虫也多半会死。

事实是什么呢？以孙悟空这方的实力，就算九头虫拼死抵抗，也无济于事。九头虫仅仅是一个头受伤，此去绝对不会多死少生。换言之，孙悟空的两个理由其实都不成立。

那么，孙悟空在担心什么？

孙悟空自然是担心九头虫背后的人。经过多年历练，孙悟空已经明白遇事三思，不要冲动。九头虫看似孤单一人，但以他如此强大的神通，极有可能背后还有高人。

虽然那高人在眼下没有出场，但那只是因为九头虫还没有生命威胁。一旦要把九头虫往死里整，那高人保不齐就会出现。

听孙悟空说完，二郎神说：“不赶他，倒也罢了，只是遗这种类在世，必为后人之害。”

二郎神此话何意？他在强调，应该继续追杀九头虫，把九头虫斩草除根，否则后患无穷。

二郎神的担心也有道理。以九头虫的行事作风，很明显是在和佛派做对。九头虫这番逃生，其背后势力必然更加痛恨佛派，未来还不知道会生出什么是非。可是，孙悟空已经发话，他作为帮手也不好强出头，只能坐看九头虫逃离。

除了担心九头虫背后势力外，孙悟空放走九头虫还有更深层，也是真正的原因。

在大闹天宫时期，孙悟空做事情率性而行，多凭本能。被压在五行山下五百年，孙悟空反复思考自己千年以来的得与失。最终，他明白了在个人力量之上，还存在着强大到恐怖的力量。

三界之中有以三清为首的两个超大派系。这两个集团左右着整个三十三重天的仙界、凡尘。佛派是第一重天人间界的新兴势力，眼下虽然还未足够强大，但是在玉帝的支持下，在如来的苦心经营下，未来有极大可能成为第一重天人间界的最大势力，在三十三重天中也将占有一席之地。

但是，就算孙悟空不想承认，他身上依然有着浓浓的道家烙印。在佛派眼中，半路出家的孙悟空是一个异类。

如何在太上老君与玉帝的斗争中生存？如何在道佛两派的斗争中生存？如何在佛派内部矛盾中生存？孙悟空一直在苦苦思考。

在车迟国智斗虎、羊、鹿三仙之后，孙悟空第一次明确提出了自己的主张，这个主张也是他未来的人生指南。孙悟空告诉车迟国王："今日灭了妖邪，方知是禅门有道，向后来再不可胡为乱信。望你把三教归一，也敬僧，也敬道，也养育人才，我保你江山永固。"

乍一看，孙悟空是在兴佛抑道，其实，孙悟空真正的态度是佛道并存。孙悟空明白，唯有如此，自己才能在未来血雨腥风般的斗争中获得一线生机。

放走九头虫，对佛派当然不利，可是对孙悟空大大有利。